AU
QUEBEC

Ce guide a été établi et rédigé
par **Louis Martin-Tard**.

Il remercie tous ceux
qui l'ont aidé
à réunir sa documentation,
principalement ses camarades
de l'Association canadienne
des journalistes et écrivains de tourisme.

AU QUEBEC

Une production
GUIDES BLEUS/N.M.I.L. Montréal

Pour tirer le meilleur profit de votre guide

• Même si vous ne le suivez pas, consultez le plan de ce livre : c'est vers la fin que l'on présente le Québec ; avant, il est question de votre voyage, de l'histoire et des gens du pays, de ses particularités.

• Trois chocs vous attendent : l'immensité du pays (près de trois fois et demie la France et seulement 6 millions d'habitants), l'hiver (Montréal, latitude de Venise, climat de Moscou) et le fait français, surtout sensible ailleurs qu'à Montréal. Tenez en compte.

• Cette introduction à la visite du Québec a été rédigée en pleine période inflationaire. Les prix indiqués ont pu changer, vers le mieux ; nous le souhaitons.

• Les offices de tourisme, surtout celui du Ministère du tourisme, chasse et pêche, éditent de nombreux documents bien faits et gratuits qui donnent les listes complètes des facilités touristiques et les prix courants. Demandez-les.

© Librairie Hachette, 1976.
*Tous droits de traduction
de reproduction et d'adaptation
réservés pour tous pays.*

Bibliographie

Pour vous-même, pensez aux livres sur le Québec que vous
auriez dû lire bien avant votre départ. Aurez-vous le temps
de les parcourir dans l'avion?

Voici quelques titres d'ouvrages édités en France :
Canada, par Robert Hollier (Petite Planète)
Les Québécois, par Marcel Rioux (Éditions du Seuil)
Du Canada français au Québec libre, par Jean-Claude
Robert (Flammarion)
Littérature québécoise, par Laurent Mailhot (Que Sais-je,
PUF)
Histoire de la littérature canadienne française, par G. Tou-
gas (PUF, 6e édition).

(dans le genre historique :)
*La vie quotidienne en Nouvelle France - La vie quotidienne
des Indiens au Canada,* par Douville et Casanova (Hachette)

D'autres livres sur le Québec, dont ceux édités au Canada
sont disponibles à la librairie « *L'École* », 11 rue de Sèvres
à Paris.

Cartographie

Table des illustrations

Les photos marquées L.M.T. sont de Louis Martin-Tard.
Sauf mentions spéciales, les photos illustrant cet ouvrage, nous ont été aimablement communiquées par le Ministère du Tourisme, chasse et pêche du Québec.
La photo de couverture est de Ray Chen/The Image bank of Canada.

Approche du Québec

Vert, blanc, rouge

Vous ne verrez jamais le Québec que vert, blanc ou rouge. Vert en été, rouge à l'automne et blanc en hiver. La quatrième saison, on n'en parle guère. Cette année au Québec, le printemps a été très beau. C'était un mardi après-midi.

Vert, blanc, rouge, ce sont les vraies couleurs de ce pays canadien français, celles aussi du drapeau arboré dès 1837 par les Patriotes en lutte pour la souveraineté. Le savaient-ils, ces premiers Québécois, que ce drapeau de leur histoire était aussi celui de leur géographie?

Vous voici donc en partance pour cette contrée mystérieuse qui n'est plus la France, ni l'ancienne, ni la nouvelle, mais où l'on parle français, qui est rattachée à l'Angleterre par des lois, aux États-Unis par les dollars et qui voudrait être elle-même.

Peut-être, à moins que vous ne soyez du pays, lisez-vous ces lignes en route vers cette « Province » qui, en fait, est un État. Au sud de la pointe du Groënland, l'avion a changé de cap ; encore une portion d'Océan et voici la côte canadienne. Vous êtes encore à trois heures de vol de Montréal, au-dessus d'une Amérique froide et rocheuse. Contemplez l'espace infini, le paysage lunaire, sol minéral criblé de milliers de lacs, veiné de rivières, taché de fondrières, et, même en été parfois, ourlé de glace scintillante. C'est selon la tradition cartiésienne, « La terre que Dieu donna à Caïn ». C'est le Labrador, mot voulant dire, selon une étymologie possible : « pays de peine ».

Enfin! vus du hublot, des signes d'humanité dans cette vaste étendue : de longues laizes, taillées à travers les forêts de conifères pour le passage des lignes à haute tension, villages isolés, champs en lames de parquet, les fameux « rangs », longues autoroutes qui relient les villes plus nombreuses. Voici, très américaine vue du ciel, l'agglomération montréalaise.

Ne cherchez pas au Québec certaines joies et valeurs de l'Europe. Ici, pas de cathédrales millénaires, de châteaux Louis XIII. Le passé est relatif. Pas de vieux et respectables monuments mais à la place, des rochers, des lacs, des forêts vieux et vieilles comme le monde. Découvrez-les, découvrez les Québécois qui, de toute façon, vous surprendront. Ce livre n'a pas voulu décrire tout ce qu'il y a à voir. Il veut seulement, comme disent les Québécois soucieux de forger leur avenir, vous donner « le goût du Québec ». D'ailleurs vous y voici. A vous de faire le meilleur usage de ce pays toujours vert ou blanc ou rouge.

Aller au Québec

Moyens d'accès

Le voyage par bateau

Les grands paquebots, au-dessus desquels flottait la flamme de la French Line, de la Cunard, de la Greek Line et autres compagnies de navigation qui, du printemps à l'automne, desservaient Montréal, rouillent à présent dans des ports lointains. Seul lien nautique avec l'Europe, le « *Pouchkine* », paquebot soviétique, propose encore des traversées régulières. Le « *Ts/s Stefan Batory* », immatriculé en Pologne, s'amarre aussi à Montréal ; il faut embarquer à Gdynia, Hambourg, Rotterdam. Quelques autres transatlantiques tel le « *Mermoz* », touchent l'est du Canada, en route pour des croisières dans les eaux tièdes des Amériques. Tant pis pour les amoureux de la mer qui aimaient prendre doucement possession du Canada par la longue remontée du Saint-Laurent, et débarquer à Montréal en plein cœur de la ville. Ces fervents du large, pas trop pressés, peuvent encore tenter « le coup du cargo » qui accepte des passagers. On en trouve encore dans les ports de l'Europe occidentale ; ils mettent de 18 à 25 jours pour traverser l'Atlantique.

Le voyage par avion   **AIR FRANCE**

L'avion reste la seule solution. **Montréal** est à cet égard très bien desservi. Deux compagnies assurent la ligne directe entre Paris et Montréal : *Air France* et *Air Canada* ; une douzaine de départs chacune par semaine ; au moins un par jour dans les deux sens. Les avions partent aux environs de 12 heures de l'aéroport Charles-de-Gaulle pour atterrir, à cause du décalage horaire, au début de l'après-midi au nouvel aéroport québécois de Mirabel.

Il existe aussi, si vous savez les trouver, des « *charters* » (en français du Canada, des « vols nolisés »).

Notons à cet égard, l'*Association des parents d'immigrés en Amérique du Nord,* dont le siège est à *Gourin* (56110) en Bretagne qui propose, dans les contre-courants des migrations saisonnières, des traversées avantageuses.

Le mieux est d'aller voir un agent de voyage sérieux. Il vous expliquera le mystère des tarifications : le plein tarif sans limites quant à la durée du séjour : environ 600 dollars aller et retour. Les « 14-21 jours », environ 525 dollars, le « 22-45 jours », environ 330 dollars. Le « G.I.T. », groupe de 10 personnes pour 14 à 21 jours. Le « G.T.E. » formule individuelle pour 7 à 8 jours, comportant des prestations terrestres payables à l'avance.

L'agence de voyages vous aidera si vous désirez faire un voyage triangulaire, en Europe ou en Amérique du Nord. Dans certains cas, vous pouvez, pour le prix de votre billet, ou en acquittant un léger supplément, faire par exemple ce type de voyage : Paris-Casablanca - Montréal-Paris, ou Paris-Amsterdam-Montréal-Paris. Ou encore Paris-New York-Montréal-Paris ou d'autres combinaisons à votre gré.

Les compagnies aériennes suivantes desservent régulièrement Montréal :

Europe-Amérique : Air France - Air Canada - Canadien Pacifique (CP Air) - Aéroflot - Alitalia - British Airways - Czecholovak Airlines - Iberia - Irish International Airlines - K.L.M. - Olympic Airways - Lufthansa - Sabena - S.A.S. - Swissair - T.A.P.

Asie-Amérique : CP Air - El-Al - Japan Air Lines.

Afrique-Amérique : Royal Air Maroc.

Amérique centrale et Antilles : CP Air (Mexique, Pérou) - Air Canada (Antilles) - Air France (Antilles françaises) - Iberia (Mexique).

États-Unis : Air Canada - Allegheny Airlines - Delta Airlines - National Airlines - Eastern Airlines - Air France (Chicago).

Canada et Québec : Air Canada - CP Air - Eastern Provincial Airways - Québecair - Nordair.

D'autres compagnies par *avions-taxi, hélicoptères, appareils « de brousse », hydravions,* offrent une gamme très large de services. Il est bon de se renseigner sur place. *New York* et *Toronto,* importantes voisines de la métropole canadienne française, bien reliées elles aussi aux réseaux aériens internationaux, délimitent un triangle, unique au monde, de possibilités aéronautiques.

Quand faire le voyage

L'itinéraire est choisi. Quand partir? Idéalement, au temps de l'automne. De la fin du mois d'août au début de novembre. Temps frais, ensoleillé. Quelques jours maussades parfois, qui donnent une idée de l'hiver austère, mais toujours suivis de l'été des Indiens, version canadienne de celui de la Saint-Martin. Ce qu'il y a de plus remarquable, les couleurs : sur fond de sapins vert sombre, les feuillages décidus adoptent les uns après les autres les teintes grenat, rouille, carmin, corail, rubis, magenta, vermeil, cramoisi. Une symphonie de tous les rouges que la blonde lumière d'arrière-saison vient encore magnifier.

A la lisière de novembre, un dernier azur, un dernier soleil, repentirs de l'été.

S'abat alors la première bordée de neige. Le vent violent arrache les dernières feuilles couleur de miel. La tempête glacée frappe sans transition, désorientant chacun, comme si un tel météore était impensable en cette terre de gel et de froidure. « Ce n'est pas un pays, c'est l'hiver », chante le poète Gilles Vigneault.

Frimas, blizzards, verglas, petits matins atrocement froids, congères. Surtout, de très longs jours de grisaille. Parfois aussi, neiges étincelantes et terres glacées qu'un blanc soleil, dans le ciel pur, n'arrive pas à réchauffer. D'inattendus redoux peuplent aussi ce bel hiver sans fin, qui peut traîner jusqu'au début du mois de mai. Soudain, le printemps : l'herbe est déjà vert tendre sous les plaques de neige grise. Elles fondent vite en ruisseaux. Les bourgeons éclatent.

Un été humide s'installe vite dans le déchaînement de la nature. C'est le temps des lilas, des beaux soirs, des somptueux couchers de soleil. Contre une humidité étouffante qui rappelle Douala ou Saïgon, on fait fonctionner la climatisation. En août, engendrés par les ouragans tropicaux, des orages violents, de brusques changements de temps avec refroidissements subits. Cela fait dire qu'au Québec, on peut avoir les quatre saisons dans la même semaine. C'est la fin de l'été. Et tout recommence.

Vous préparez vos valises

Tenez compte de ce qui précède : printemps humides et frais. Étés volontiers torrides. Automnes pluvieux, parfois très chauds. Hivers imprévisibles, interminables.

On sait au Canada, braver cette mauvaise saison : maisons, chambres d'hôtels, magasins, moyens de transport bien chauffés (surchauffés disent les Européens). A l'extérieur, il y a d'autres moyens d'abolir le froid : vêtements bien conçus, tuniques, mitaines, parkas, pelisses, fourrures, passe-montagnes, sous-vêtements élégants et efficaces. En ville, les hommes se munissent de « claques » et « pardessus » (couvre-chaussures isolants). Les dames circulent en bottes et botillons fourrés, mais lorsqu'il le faut, transportent avec elles, dans un sac, de fins escarpins qu'elles savent chausser discrètement. Tout cela, le touriste saura le trouver sur place, amusants et originaux souvenirs à rapporter (dans ce genre, je conseille les couvre-oreilles en fourrure reliés par une lame métallique).

Pour le printemps, il faut penser à l'imperméable assez étoffé. Pour l'été, au style tropical; à cause de la sur-climatisation, des lainages légers sont indispensables pour surmonter les artificielles fraîcheurs estivales. En tout temps, le « blue jean » est commode, le maillot de bain utile, (les bons hôtels, les appartements des amis sont souvent munis de piscines). L'Européen un peu conservateur doit savoir que le Canadien français s'habille de façon très décontractée, même et surtout, dans les grandes occasions. La chemise blanche, la cravate stricte, le complet bleu marine, les chaussures noires font très vieux jeu. Chez les dames, les tenues les plus excentriques n'étonnent personne et sont signe de recherche.

Avant de boucler vos bagages

Il n'y a rien que désormais l'on ne trouve au Québec. Vous avez des amis à gâter? Même si tous les parfums, liqueurs, livres, disques, gadgets sont disponibles au Canada, tout n'y arrive pas instantanément; apportez les dernières nouveautés, vous ferez toujours plaisir.

Dans votre portefeuille

Bien sûr, votre billet d'avion, votre **passeport** non périmé et votre **visa,** si nécessaire.
Si vous en avez, les **cartes de crédit** acceptées au Canada, *(American Express - Diners Club - Carte blanche - Chargex).* Votre **permis de conduire** normal (l'usage en est toléré) ou un permis de conduire international. Des **devises** européennes; on peut les changer dans les banques et aux comptoirs de change. De l'argent canadien acquis en Europe, des dollars U.S. facilement négociables. Au besoin, des **chèques de voyage,** en dollars canadiens. Selon les prix donnés dans cet ouvrage, calculez bien votre budget. Souvenez-vous que dans cette partie du monde, la vie est chère. Détail à ne pas négliger : toute dépense est affectée d'une **taxe;** les tarifs et prix sont toujours bruts. Tout déboursé de $49,99 signifie concrètement que vous aurez à payer près de 54 $. Le caissier fait rarement des cadeaux.

Calculez votre budget sans trop d'optimisme.
A vous d'estimer, selon une contingence variable, s'il
vaut mieux faire vos opérations de change avant le
départ ou sur place. En fait, la différence sera, sauf
dévaluation subite des monnaies, assez minime.
Le petit livre jaune des certificats internationaux de
vaccinations n'a plus cours pour l'entrée au pays.
On n'y craint même plus la variole.

Adresses utiles

A Paris

Délégation générale du Québec, 66 rue Pergo-
lèse, 16e (tél. 727.61.39).
Ambassade du Canada, 35 av. Montaigne, 8e
(tél. 225.99.55) ; service des visas, 4 rue Ventadour,
1er (tél. 073.15.83).
Air Canada, 24 bd des Capucines, 9e
(tél. 273.84.00).
Air France, 119 av. des Champs-Élysées, 8e
(tél. 720.70.50).
Canadian national, 32 rue du Mont-Thabor,
1er (tél. 260.37.09).
Centre culturel canadien, 5 rue de Constantine,
7e (tél. 551.35.73).
Office national du Tourisme Canadien, 4 rue
Scribe, 9e (tél. 742.22.50).

A Bruxelles

Direction générale du Québec, édifice Taylor
Woodrow, 56 rue de la Loi (1040, tél. 511.06.80).

Salut à Mirabel

Venant d'Europe par avion, vous atterrissez à l'*aéroport Mirabel,* situé à Saint-Scholastique (P.Q.).
Saluez ! C'est pour l'instant le plus moderne des
aéroports de l'ère supersonique. Vous n'en verrez de
votre hublot que les installations de la Phase I,
conçue pour recevoir entre 6 et 10 millions de
voyageurs par an et 600 000 tonnes de fret. En 1990,
l'aéroport recevra 30 millions et demi de voyageurs ; il
comprendra six aérogares comme celle que vous
apercevrez.

Mirabel occupe la plus vaste superficie jamais réser-
vée à un aéroport (36 000 hectares) pour permettre
de réaliser une expansion planifiée, dans une large
zone dépourvue d'agglomérations et d'effectuer des
décollages et des atterrissages en pleine nuit.

L'avion se pose sur une des deux pistes. Elles ont chacune 3 657 m de long sur 60 m de large. Les véhicules transbordeurs s'approchent de votre appareil qui s'est arrêté à son poste de stationnement. Leurs cabines s'élèvent jusqu'aux portes de l'avion. Vous prenez place dans cet engin à la fois autobus et ascenseur; il vous mène au quai de débarquement de l'aéroport. Circulant en ligne droite vers la sortie, à moins de 100 m de là, vous passez par les services d'inspection et de douanes. Vous devez trouver votre valise dans le carrousel à bagages. Puis en principe, vous vous retrouvez sur le débarcadère extérieur environ 30 mn après l'instant où votre avion a arrêté ses moteurs. Cela, d'après les calculs des experts qui ont conçu ce système et cet édifice.

Si des amis sont venus vous chercher, regardez vers le haut derrière les vitres de la mezzanine.

Vous pourrez bientôt vous rendre à *l'hôtel Château-Mirabel,* du Canadien Pacifique, par un passage couvert. L'établissement dont on commence la construction comportera aussi un centre de conditionnement physique, des salons de coiffure pour dames et messieurs, un cinéma, plusieurs restaurants et bars, des boutiques, une piscine intérieure et un jardin.

A Mirabel, vous vous trouvez à 56 km au Nord-Ouest du centre de **Montréal** sur un plateau relativement plat, bordé au nord par les contreforts des Laurentides. Vers 1980, un système de trains électriques roulant à plus de 160 km à l'heure vous permettra d'arriver très vite en ville.

En attendant, des *autocars* très modernes, effectuant la plus grande partie de leur trajet (65 minutes environ) sur l'autoroute des Laurentides (souvent encombrée), vous mènent pour $ 5 au centre-ville, ou encore pour $ 3,50 au terminus Henri-Bourassa, station de métro située au Nord de l'île de Montréal, avec arrêt dans le centre des villes de **Laval** et de **Sainte-Thérèse.** Deux autres services conduisent à **Saint-Jérôme** dans les Laurentides, ou à **Dorval.** Cet aéroport, depuis 1950, assurait la totalité du trafic aérien pour la région montréalaise. Il est désormais réservé aux vols intérieurs et aux liaisons entre le Canada et les États-Unis. Si votre voyage comporte une correspondance et un changement d'aéroport, un service de renseignements vous aidera à vous rendre à Dorval, à environ 50 km en direction sud-est.

Il y a aussi pour aller de Mirabel à Montréal ou à Dorval des *taxis;* le prix de la course au compteur est d'environ 25 dollars, pourboire et péages non compris.

Un mot sur les douanes

La douane au Canada relève du Ministère fédéral du revenu. Au Québec, ses représentants sont de parfaits bilingues, le plus souvent Canadiens français. Leur administration leur a inculqué un sérieux, un fairplay très britannique, heureusement corrigés par une faconde toute latine. Ils sont fort bienveillants pour le touriste qui arrive. Ils appliquent de façon pragmatique les instructions reçues, vagues et changeantes variantes de l'implacable « Loi sur les douanes ».

Pour le douanier, si vous êtes « une personne qui établit sa demeure et se tient ordinairement en un lieu hors du Canada », vous êtes un « non-résident ». Vous avez donc le droit d'importer au Canada vos bagages personnels, en franchise pour la durée de votre visite. N'oubliez pas cependant que n'ont pas le droit d'entrer au Canada certaines marchandises à titre de bagages personnels. Attention à ce que vous mettez dans vos valises.

L'entrée, par exemple, des **vins et spiritueux** est interdite. On permet toutefois une franchise de 40 onces par personne (au Québec, il faut avoir plus de 18 ans pour avoir droit à ce privilège). Sachez qu'en fait, 40 onces signifient, par tolérance, deux bouteilles moyennes par personne adulte, qu'elles contiennent de la fine champagne ou un quelconque picrate. Pour la bière, vous pouvez multiplier les 40 onces par sept.

Vous pouvez pour votre consommation personnelle (et en quantité raisonnable) avoir de la nourriture dans vos bagages; par règlement impératif du Ministère de l'agriculture, toute importation de **viande,** sous quelque forme que ce soit, est proscrite. Le Canada, grand pays d'élevage, craint comme la peste l'introduction du virus de la fièvre aphteuse. Il faut avoir assisté, dans les aéroports internationaux du Canada, aux crises de larmes d'Italiens, qui débarquent apportant en cadeau à leurs amis le salami du pays, et qui voient les douaniers à gants blancs se saisir des odorant saucissons pour les placer, avec réprobation, dans les poubelles destinées à cet usage. Le Français qui veut régaler ses hôtes canadiens de rillettes en pot, boudin, rosette ou andouille de Vire, est promis aux mêmes fureurs. Si vous tentez d'introduire au Canada le meilleur foie gras truffé dans sa boîte de conserve d'origine, venant de la meilleure maison du Ruffec ou de Strasbourg, vous risquez la confiscation. Vous pouvez alors faire appel devant le fonctionnaire du Ministère de l'agriculture en service à l'aéroport. Si le produit ne figure pas sur les listes des fabricants agréés, avec douceur, mais non sans fermeté, on vous fera comprendre que tout entêtement est vain. On a vu des voyageurs furieux manger sur le champ deux livres de foie gras truffé, plutôt que d'accepter qu'il soit incinéré.

De mystérieuses maladies épidémiques sont transmises aux plantes par la terre; aussi le Canada interdit-il l'importation de toute **plante** à laquelle adhère du terreau. Sous aucun prétexte n'essayez de franchir la frontière avec une azalée en pot ou un petit chêne gaulois muni de ses racines. L'importation de toutes sortes de graines et semences est également prohibée.

Dans la même veine, toute herbe du type haschich, chanvre, kif et autres cannabinacés, ainsi que les champignons hallucinogènes et, en général, **drogues** du même genre, sont frappés d'interdit absolu. C'est la gendarmerie fédérale, autrement dit la police montée, en uniforme discret qui surveille les tentatives d'importation. Les jeunes gens à cheveux trop longs et les jeunes personnes du type hippie peuvent être soumis à une fouille sévère. En cas d'infraction, c'est la paille climatisée des cachots canadiens.

Dans le domaine des **munitions,** vous pouvez importer 200 cartouches. A moins que vous ne soyez un « tireur d'élite non-résident » : dans ce cas, vous devez prouver que vous venez au Canada participer à des concours de tir organisés par des sociétés reconnues. Vous avez alors droit à 500 cartouches.

Côté **tabac,** vous pouvez, si vous avez plus de 16 ans, transporter 200 cigarettes, 50 cigares ou deux livres de tabac. Il vous est permis d'avoir dans vos bagages des **pellicules photographiques** et « lampes-éclair » « en quantité raisonnable ». Si vous apportez des cadeaux à vos amis, à condition que ce ne soit pas des spiritueux ou du tabac, vous n'aurez pas de droits à payer, si le prix de chacun de vos présents ne dépasse pas 15 dollars. Et que vous n'abusiez pas des facilités prévues par les règlements.

Ce qui pourrait gâcher le début de votre séjour en terre canadienne serait votre entêtement à introduire un **chien** de quelque race que ce soit. L'inquiétude traditionnelle britannique envers ce genre d'opération a contaminé le Canada. On y redoute la rage. A l'arrivée, votre compagnon, même accompagné des plus rassurants certificats des meilleurs vétérinaires européens, sera conduit à vos frais dans une lointaine fourrière, où il devra, après avoir subi des séries de piqûres, être gardé pendant trente jours avant de vous être rendu.

Notez aussi que les **automobiles** privées peuvent entrer et circuler au Québec et au Canada sans paiement de droit de douane. A condition que le dessous des véhicules en provenance de l'Europe soit, avant le départ, soumis à un nettoyage à la vapeur, afin de ne pas transporter au Canada un peu de la terre des vieux pays.

N'oubliez pas que vous entrez dans un pays où existe encore la notion de voyageur « bona fide », que les lois y sont rédigées dans un style peu cartésien, que leurs deux versions (anglaise et française) ouvrent à des interprétations, appuyées souvent sur la tradition orale et diverses jurisprudences. Les douaniers, s'ils ferment les yeux sur bien des petits accrocs à un règlement souple, sont implacables face à quiconque tente vraiment de frauder.

Mais êtes-vous en règle?

Les citoyens des pays de l'Europe occidentale, comme ceux de bien des pays du monde, peuvent entrer au Canada sans visa; il suffit de présenter à l'arrivée un passeport en cours de validité. Ces voyageurs ont alors le statut de visiteur pour trois mois, renouvelable à condition de ne pas exercer d'emploi au pays sans un visa spécial (excepté pour les diplomates, militaires, hommes d'affaire ou journalistes de passage, membres du clergé, et athlètes professionnels).

Ceux qui veulent travailler doivent demander un statut d'immigrant. Il n'est accordé que par les bureaux et agents d'immigration du pays de départ. Le statut d'« immigrant reçu » est octroyé, selon les besoins économiques du pays, de préférence à ceux qui peuvent prouver qu'ils sont effectivement appelés par un employeur canadien ou que leur activité est en forte demande dans la région où ils souhaitent s'établir. Peuvent également être acceptés comme immigrants, les membres de familles d'immigrants reçus, définis comme personnes à charge ou « parents désignés ». Au bout de cinq ans, tout immigrant peut demander la citoyenneté canadienne; agréé, il obtiendra le passeport du Canada qui fera aussi de lui un « sujet britannique ».

Seul le gouvernement fédéral a juridiction sur le contrôle des entrées en sol canadien. La Province de Québec n'en a pas moins créé un Ministère de l'immigration chargé de favoriser le recrutement et l'établissement d'immigrants pouvant contribuer à son essor économique et au maintien de sa culture. Des conseillers en immigration québécois sont en poste à Paris, Rome, Athènes et Beyrouth; d'autres sont chargés de missions itinérantes, principalement dans les pays francophones ou de tradition latine.

Votre santé

Si vous êtes un touriste étranger qui lisez ces lignes et que vous venez au Québec : ne tombez pas malade. Si vous êtes Québécois ou que vous participiez à un régime d'assurance-santé nord-américain reconnu, vous n'avez pas de problème : vous êtes porteur de la petite carte de plastique de l'Assurance maladie gratuite que tout praticien conventionné ou tout hôpital reconnaîtra. Grâce à quoi, vous n'aurez pas un sou à verser.

Le touriste étranger qui a des problèmes de santé devra : soit s'adresser au médecin de son hôtel, soit aller en consultation chez un praticien de son choix ou à la rigueur, se rendre à la salle d'urgence d'un hôpital. La visite coûte, selon le cas, entre 5 et 25 dollars (notez que de moins en moins le médecin se déplace). Si vous devez être hospitalisé, c'est plus grave. On vous demandera à votre entrée à l'hôpital un chèque couvrant une semaine au coût d'environ $ 160 par jour, plus 30 % si vous n'êtes pas du pays. Les services de sécurité social des pays européens ne prennent généralement pas en charge les ressortissants soignés à l'étranger ou paient une très faible partie de leurs dépenses (à condition que l'on prouve par des certificats qu'il n'y avait pas d'autres recours qu'une hospitalisation sur place). Un bon conseil afin de ne pas inquiéter les vôtres et d'éviter les problèmes à votre consulat : contracter avant le départ ou à l'arrivée au Québec une assurance-santé pour voyageur qui vous évitera tous ennuis. Votre agent de voyage saura vous renseigner à cet égard.

Ce pays que vous visitez

Sa géographie

Le Québec, est la plus étendue des **dix** provinces du Canada. Du détroit de Belle-Isle à l'est, au rivage oriental de la Baie James à l'ouest : 1 600 km de large. Dans l'autre sens, de la frontière des États-Unis à la côte arctique de l'Ungava : 1 900 km. En tout, environ un million et demi de km carrés. Encore faudrait-il y ajouter une partie du Labrador, qui fut autrefois rattachée par Londres de façon arbitraire à la Province de Terre-Neuve, alors colonie britannique. Cette situation contentieuse prive le Québec d'importantes ressources naturelles et d'un potentiel hydro-électrique qu'il revendique. Le Québec, immense territoire qui a le profil d'une tulipe épanouie, pourrait aisément contenir la France, l'Espagne, le Portugal, la Belgique, la Suisse et les deux Allemagnes. Le Québec, c'est le seizième du territoire du Canada (qui, par sa taille, est le deuxième État du monde après l'U.R.S.S.). Le Québec est immense mais, ne nous trompons pas : seule une petite portion est actuellement vivable et habitée : en gros, deux bandes de terre au long du Saint-Laurent : là, demeurent plus de 6 millions de Québécois.

La géographie de leur pays est simple. Trois grandes régions naturelles : le « bouclier canadien », la plaine du Saint-Laurent, les Appalaches.

Le « bouclier », ou plus exactement sa partie québécoise, occupe les quatre cinquièmes du territoire. C'est un des « coffres-forts » du monde. Là est la richesse (sous forme de ressources naturelles très peu exploitées). Là est la solitude. L'histoire du « bouclier » est longue. Au départ, dans la nuit des temps, la montée d'immenses Alpes primaires, très plissées, formées de granites, de grès, de schistes. Les millénaires, les intenses chaleurs du globe en formation, les prodigieuses pressions, cristallisent les roches précambriennes; elles en font d'immenses feuilletés. Une très longue érosion va raboter les montagnes jusqu'à la racine. Elles deviennent une

longue série de plateaux ondulés, de vallées creuses,
de dépressions allant parfois au-dessous du niveau
de la mer. Les glaciations successives vont encore
fignoler le tout, y creuser des centaines de milliers
de lacs de toutes tailles, polir les collines, surcreu-
ser les vallées. Quelques Blancs vivent là, dans de
rares villes minières. Le reste est le domaine de tribus

d'Indiens, nomades et chasseurs; sur les côtes sep-
tentrionales, des communautés d'Esquimaux. La bordure sud du bouclier, un peu plus habitée, couverte
d'épaisses forêts de conifères — une autre richesse
du pays — constitue le massif des *Laurentides.* On y
pratique de moins en moins l'agriculture; c'est
devenu une région de loisirs.

Au sud du Québec s'étend la région des *Appalaches.*
C'est la fin d'une longue chaîne montagneuse érodée
qui débute vers le golfe du Mexique et se termine
dans les parages de l'île de Terre-Neuve où elle
disparaît dans l'Atlantique. Les Appalaches du Québec, faites de calcaire, de grès et de schistes, mêlés
de roches ignées, se présentent sous forme de
terrasses discontinues ornées de quelques sommets;
ces terres élevées, les pentes qui y mènent, sont
relativement prospères, grâce à la forêt, à l'agriculture, à de petites industries et, de plus en plus, au
tourisme.

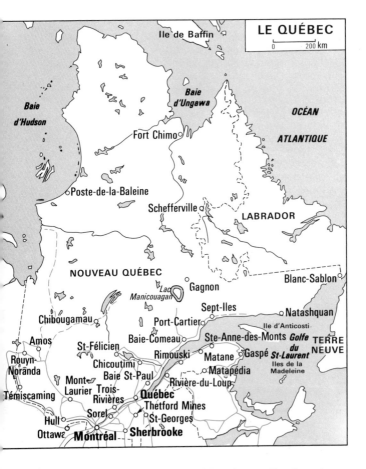

Entre ces deux zones accidentées, celle du « bouclier » et celle des Appalaches, un long triangle dont
la base s'étend vers l'Atlantique : la *plaine du Saint-
Laurent,* basse et fertile, nappée de dépôts d'argile et
de sable. Dans sa rainure, alimenté par ses puissants
affluents, le fleuve géant. Débit du Saint-Laurent
à Montréal, à 1 600 km de la mer : 8 500 mètres
cubes à la seconde. Après Québec, il s'élargit. Par le
travers de l'île d'Anticosti, ses rivages sont éloignés
de 125 km. Les eaux sont déjà salées et soumises aux
marées. Puis, c'est l'énorme golfe. La plupart des
Québécois habitent cette longue plaine. Là sont les
grandes villes, les terres franchement arables, les
industries, les voies de communication qui mènent
au cœur très riche du continent nord-américain. Là
sont Montréal, Québec et les autres villes du pays
québécois.

Des animaux et des plantes

Il n'existe au Québec aucun animal sauvage dangereux pour le touriste, sauf dans un cas extrême,
l'ourse, rendue furieuse par la présence d'un intrus
entre elle et ses petits. On ne peut craindre aucun
reptile venimeux. Il vaut mieux être attentif à la
mouffette rayée, dont le nom scientifique « Mephi-
tis » dit assez bien son moyen de défense : un jet
brûlant sorti d'une glande, chargé d'une odeur répul-
sive et tenace. Qui en reçoit quelques gouttes sur lui
n'a, selon le conseil des vieux trappeurs, qu'un
recours : brûler sans attendre tous ses vêtements,
se plonger dans une baignoire remplie de jus de
tomates.

Autre adversaire minuscule et redoutable : le moustique; au cours de l'été il pullule dans les zones un
tant soit peu marécageuses, dans la savane, les bois
et même les villes. Il en existe de nombreuses sortes
très voraces. Les moustiquaires à toutes les fenêtres,
les lumières éteintes la nuit, le D.D.T., les produits
chimiques à vaporiser, les crèmes et vitamines, ne
protègent pas toujours des piqures diurnes et nocturnes.

Pour le reste, la faune est amicale : l'écureuil gris
vous suit dans les rues pour quémander une graine
d'arachide; vous voyez à Montréal, dans les sous-
bois du Mont-Royal, se promener les faisans; dans
les parcs provinciaux circuler tranquillement le lynx,
le coyote, le grand duc, l'aigle, le tamia, le porc-épic
et le raton-laveur.

C'est le paradis des amateurs de safaris photographiques. A ceux qui n'ont pas le temps de prendre
l'affût pour cadrer dans leur téléobjectif un caribou
qui brâme, il est conseillé les jardins zoologiques de
la Province, particulièrement celui de Saint-Félicien,
au lac Saint-Jean. De très près, on peut photographier dans leur milieu naturel de beaux échantillons
d'animaux du Québec.

Au hasard des excursions, le touriste fait connaissance aussi avec une flore typique, et ses champions
locaux dans les catégories de la feuille caduque
colorée ou de la résine. On trouvera, dans le pays et à
travers ces pages, d'autres végétaux rares, surtout
ceux du Nord moyen; dans les sphaignes des tourbières se cachent des *plantes carnivores* comme la
sarracénie pourpre ou le rossolis. Ces végétaux ne
guettent que les très petits insectes. L'homme doit
plutôt se méfier d'une plante assez répandue au
Québec : « l'herbe à puces ». Un simple contact avec
ses feuilles développe des irritations, parfois des
éruptions boutonneuses, voire une sorte de fièvre.
Techniquement, ce végétal au nom savant de « Rhus

L'orignal, robuste élan du Canada

radicans » (les Américains l'appellent « poison ivy »)
est un sumac, de l'ordre des térébinthales, qui groupe
aussi l'érable et sa variété très canadienne, l'*Acer
saccharum*, fournisseur de sève sucrée ; sa feuille
pourpre apparaît comme motif principal sur le drapeau national.

Le Québec dans l'histoire

Il est un mot historique qui a beaucoup peiné les Canadiens français. Il a aussi galvanisé leur nationalisme toujours à fleur de peau. Ce mot a été prononcé en 1840 par l'homme d'État anglais Lord Durham : « Ce peuple est sans histoire », a-t-il dit. Phrase profondément injuste, mais aussi paradoxale.

Le Québec a son histoire; il en a même plusieurs : d'abord celle enseignée par des professeurs canadiens français qui, très longtemps, furent des prêtres ou de pieux laïcs. Par zèle catholique, ils en ont fait une fresque apologétique. Les Anglo-saxons ont, eux aussi, donné leur version des faits. Déjà des Québécois, certains d'origine amérindienne, rédigent à leur tour des ouvrages conformes à leur vision du monde. Où est la vérité et quand commence la chronique du Québec ?

A la prise de Québec par les Anglais, le 18 septembre 1759 ? Cela ferait débuter le destin du pays par une défaite. Autre version, longuement transmise par les manuels scolaires aux petits écoliers du Québec : « Le 24 juillet 1534, le malouin *Jacques Cartier* plantait une croix sur la côte de Gaspé. Le Canada venait de naître. »

Mais avant ? On parle de Normands « venus d'Islande », de Bretons, de Basques, de Celtes; après l'an mil, des Vikings, commandés par un nommé *Leif, fils d'Erik-le-Rouge,* à bord de leurs drakkars, auraient vogué dans les eaux nord-américaines. Ils se seraient installés dans ce qui est aujourd'hui l'Est maritime du Québec. Des archéologues fournissent mille preuves. Ils ne prouvent guère. Mieux encore, ce seraient des Phéniciens qui auraient, avant J.-C. (Jacques Cartier), découvert le Québec. Voici l'histoire : il existe au musée de Sherbrooke trois pierres portant des inscriptions, découvertes au début de ce siècle dans le sud du Québec. Au printemps de 1975 un archéologue de l'Université Laval, le professeur Thomas Lee, après de longues recherches appuyées sur les travaux et conseils d'un de ses collègues le professeur Berry Fell, de l'Université Harvard, spécialiste des langages antiques de la méditerranée orientale, a réussi à déchiffrer les textes gravés; ils disent : « Expédition qui traversa (la mer), au service du roi Hiram, conquérant du territoire. Gravé par Hata qui atteignit ici les limites avec son embarcation et grava cette pierre. Hannon, fils de Tamu, qui atteignit cette montagne. » Si l'on sait qu'un roi de Tyr, Hiram, a vécu de 969 à 935 av. J.-C. et que Hannon est un Carthaginois célèbre pour ses explorations nautiques dans le même temps, voilà qui retire un peu de gloire à Jacques Cartier, planteur de croix et découvreur officiel du Canada, envoyé par le roi François Ier et parti en avril 1534, de Saint-Malo, joli port de mer.

L'introuvable Eldorado

Déjà avant lui, et dès le début du XXe s., des navigateurs, tous à la recherche du passage qui, par l'Ouest, mènerait vers Cipango et les richesses asiatiques, avaient longé les rives de ce qui devait être le Canada. Florentins et Dieppois, Portugais et Vénitiens étaient sur la bonne piste. *Cartier* lui aussi, cherche le bon passage vers la Chine et l'or dont le trésor royal a besoin. Après 20 jours de traversée, record homologué remarquable pour l'époque, il atterrit à **Gaspé** et y plante sa croix. Le roi, qui espérait des monceaux d'or du Nouveau-Monde, renvoie l'explorateur en Amérique. Le voilà qui s'engage le 10 août 1535, en la fête de Saint-Laurent, dans le grand fleuve.

Escale au village indien de **Stadacona,** site de l'actuelle ville de Québec. Arrêt à **Hochelaga,** autre bourgade « sauvage », lieu du futur Montréal. On plante des croix, on hiverne. On fait la douloureuse expérience du froid et du scorbut. Retour en France, troisième départ. Cette fois, Jacques Cartier découvre des monceaux d'or et de diamants. On s'apercevra, au retour à Paris, que les minerais d'or ne sont que sulfures métalliques et les brillants d'humbles cristaux de quartz. La Nouvelle-France, chemin vers la Chine ou Eldorado, tombe dans l'oubli. Des huguenots tentent des essais de colonisation, mais la voie a été tracée par Cartier, l'évangélisateur : le royaume d'Outre-mer doit être celui du Dieu romain et apostolique.

Un autre missionnaire laïc, le sieur *Samuel de Champlain,* natif de Brouage en Saintonge, reprend l'aventure. Son but : créer un poste solide sur les rivages lointains. Il fonde ainsi **Québec** (1608) autour de l'« abitation », un gros fort de bois. Son idée :

appuyer sa mission d'évangélisation et de peuplement sur un commerce rémunérateur, celui de la pelleterie, troquée aux Hurons et Algonquins. Ainsi les capitalistes français qui ont financé l'entreprise contribuent à l'établissement d'une colonie chrétienne. A sa mort toutefois, Champlain aura compris que les marchands de France, uniquement soucieux de recueillir des gains considérables, ont modérément commandité le coûteux départ de colons. Ils voient en eux des concurrents installés à leurs frais en terre canadienne. Malgré tout, l'**Acadie** (aujourd'hui la Nouvelle-Écosse) se peuple; à l'ouest, est fondé le poste des **Trois-Rivières**; bientôt Montréal va naître; Samuel de Champlain aura jeté les bases d'une présence française en Amérique du Nord.

La Croix et le castor

Parmi les rares colons que Champlain a réussi à mener en Nouvelle-France, *Louis Hébert* est célèbre. C'est une sorte d'apothicaire. Originaire de Paris, marié à *Marie Rollet,* ils ont débarqué en 1617 à Tadoussac avec leurs trois enfants, *Anne, Guillemette* et *Guillaume.* Hébert, parce qu'il fallait vivre dans sa patrie d'adoption, est devenu cultivateur et a fait fructifier les arpents donnés en prime par la Société des Marchands. Il y a gagné le titre de premier laboureur du Québec. Et sa fille Guillemette est réputée pour être la première Française à avoir donné le jour à un enfant en terre canadienne, le premier d'une série de dix. On lui a élevé à Québec un monument ainsi qu'à son mari, le premier père de famille de la Neuve-France. Il s'appelait *Guillaume Couillard.*

La **région du Saint-Laurent** n'est pas la seule à se peupler de colons inspirés, désireux de faire souche en Amérique. Le mariage de Guillemette et de Guillaume date de 1621. Quelques mois plus tôt partait de Plymouth un groupe de « pèlerins » puritains. Ils voguaient sur le célèbre « *Mayflower* » pour aller fonder outre-atlantique la Nouvelle Angleterre. Dès ce moment, tout ce qui se passe dans la colonie anglaise du Sud va commander le destin de la Nouvelle-France. On y poursuit de plus belle l'épopée conçue par Champlain : l'action mystique consolidée par le négoce des peaux de castor. Un dévot percepteur de La Flèche, du fond de son Maine natal, imagine de créer de toute pièce une ville en terre canadienne. Elle sera dédiée à la Vierge, s'appellera **Ville-Marie** et rayonnera autour d'une communauté d'hospitalières. Ainsi, *Jérôme Le Royer de la Dauversière* récolte autour de lui des fonds pour dépêcher vers les terres lointaines un petit groupe d'apôtres, commandés par une sorte de moine laïc et militaire,

Paul Chomedey de Maisonneuve et une pieuse infir-
mière, *Jeanne Mance*. Ville-Marie qu'ils créent effectivement, deviendra bientôt (1642) la ville de Montréal, bâtie au pied de sa colline, le Mont-Royal. Le
Canada compte alors moins de 200 habitants blancs :
missionnaires, auxiliaires du clergé, colons, aven-
turiers qui parcourent le pays pour offrir aux Indiens,
en échange des précieuses sauvagines, de la pacotille, de l'eau-de-feu et parfois des arquebuses. Les
bons « sauvages » acceptent de commercer et parfois
de recevoir le baptême, administré par les « robes
noires ». Ce sont les Hurons. Ils ont pour ennemis les
Iroquois, alliés aux Anglais. A cause d'eux, la vie
devient intenable dans la jeune colonie. Bientôt, le
pouvoir royal décide d'annexer la Nouvelle-France
au domaine royal, de la doter d'un gouverneur, d'un
intendant et d'un Conseil, d'y créer un régime sei-
gneurial, d'y envoyer un vicaire apostolique qui
portera bientôt le titre d'évêque. Le premier est
François de Montmorency Laval.

Coureurs des bois et Filles du Roy

Pour pacifier l'Iroquois, on décide le quadrillage du
territoire. Le régiment de Carignan-Salières dépêche
ses Fanfan Latulipe au Canada. Les mousquets font
merveille. Le « méchant sauvage » sollicite la paix. Un
célèbre intendant, le sieur *Jean Talon* planifie l'économie du domaine colonial mais n'y reste pas assez
longtemps pour le faire « démarrer » vraiment, comme
l'ont réussi au sud les Anglo-saxons. Un des problèmes est celui des « coureurs des bois », jeunes
gens aventureux, chaussés de raquettes ou manieurs
de pagaies, qui vivent loin des villes, dispensent
l'alcool de traite aux Indiens et offrent leur cœur aux
Indiennes. Afin de procurer des épouses à ces
« dragueurs », le pouvoir monarchique, au départ de
La Rochelle, organise des convois de jeunes personnes. Elles partent nanties d'une dot royale : un
peu de linge, quelques écus, et leur charme. Ce sont
les « Filles du Roy ». Furent-elles toutes pures ? au-
dessus de tout soupçon ? Des historiens ont tenté de
prouver qu'il n'existait aucune « fille de joie » parmi
elles. Que si une ou deux Manon Lescaut, tirées de
force des hôpitaux parisiens, ont pu se glisser parmi
les vraies demoiselles de bonne famille, toutes d'ailleurs filles d'officiers, dignes, nobles et pauvres, elles
ont été immédiatement envoyées vers la Guadeloupe
ou la Louisiane, purgatoire des catins repenties.
Grâce à ces jeunes femmes, en fait de solides fian-
cées venant des campagnes vendéennes ou circon-
voisines, la colonie progresse. En 1763, le Canada
compte 65 000 habitants. L'Acadie, Québec, Trois-

Rivières, Ville-Marie, ne leur suffisent plus. Ils parcourent le Nouveau-Continent. C'est le temps du grand dynamisme. Toutes les bonnes terres sont cultivées; au commerce toujours prospère de la fourrure s'ajoutent les pêcheries, l'extraction du minerai de fer, l'ouverture de forges. On plante du chanvre, de l'orge; on exploite le bois; la Nouvelle-France cesse d'être uniquement un comptoir de fourrures; le vaste pays est exploré. Par goût de l'aventure, par lucre, par désir d'évangélisation, des hommes partent « beau temps mauvais temps » vers les lointains, font du troc, plantent des croix, construisent des fortins; ils agrandissent sans cesse le domaine du Roi de France. Ainsi *Pierre Radisson* qui, vers 1670, pousse des pointes vers le Nord-Ouest avec son compagnon *Pierre Degroseilliers.* Ils n'ont aucun mandat, sont prêts à se faire désavouer par l'autorité en place; les voici à la baie d'Hudson. *Étienne Brulé* a ouvert des territoires du côté du lac Huron.

Vers le Sud, *Saint-Lusson,* puis *Louis Jolliet* et le jésuite *Jacques Marquette,* suivis de *Cavelier de la Salle* explorent toute la vallée du Mississipi jusqu'à la mer. A la suite, *Charles Lemoyne d'Iberville* et ses frères, corsaires, soudards, buveurs de rhum et coureurs de jupons, donnent au roi Louis la Louisiane. Vers l'Ouest, *Daniel Duluth* va au-delà des grands lacs. Une ville du centre des États-Unis porte aujourd'hui son nom. *Pierre de la Vérendrye* et ses fils lancent ensuite des expéditions et s'arrêtent aux Rocheuses.

L'Angleterre joue et gagne

Tant de raids d'exploration n'ont guère d'écho à Paris. A Londres, ils inquiètent le pouvoir royal, soucieux d'expansion coloniale dans « sa » terre d'Amérique. Les marchands d'Angleterre exigent le monopole absolu sur le commerce des fourrures attribué à la puissante compagnie de la *Hudson Bay* et sur celui de la morue dans les eaux poissonneuses de Terre-Neuve. Ils veulent que l'Angleterre obtienne la maîtrise stratégique des eaux et ports de l'Amérique du Nord et mettre aussi fin à une dangereuse fermentation qui s'amorce dans les colonies britanniques, celle des colons désireux de s'affranchir du pouvoir centralisateur londonien.

Pour leur part, ceux-là qui déjà se disent « Americans » luttent contre leurs rivaux francophones, par surcroit affreux papistes, surtout, se répandent à travers le continent et qui pourraient s'emparer des meilleures terres et des bonnes voies commerciales. Ces affrontements ne font que refléter la situation politique européenne : Guerre de la Succession d'Espagne, *traité d'Utrecht* (l'Angleterre y obtient définitivement Terre-Neuve, l'Acadie et la Baie d'Hudson), Guerre de la Succession d'Autriche, Paix d'Aix-la-Chapelle, Guerre de Sept Ans.

Au Canada, se multiplient les escarmouches, les expéditions navales, les campagnes militaires et les exactions. L'Acadie, colonisée par la France depuis 1604, est conquise par l'Angleterre. En 1775, ses soldats en expulsent brutalement les habitants français. C'est l'épisode « du Grand Dérangement ». La perte du fort de Louisbourg, pris, rendu, repris, détruit, marque « le commencement de la fin ». La défaite était inscrite d'ailleurs dans les réalités. Disproportion des forces : un million et demi d'Anglo-saxons fermement installés dans l'Est américain s'opposent à 8 000 Français, postés à travers le continent du Saint-Laurent au golfe du Mexique dont 5 900 hommes de troupes et des miliciens remplis de bravoure mais inexpérimentés. Les Anglais alignent 75 000 miliciens, plus les contingents militaires venus de Grande-Bretagne. Avec eux aussi « the Fleet » : 345 vaisseaux de guerre. La France n'en a que 45. Au printemps de 1759, la disette des vivres affecte durement le Canada français assiégé par eau et par terre mais qui résiste. A Québec, cependant, on s'amuse, on danse, on joue gros autour du général en chef envoyé par Paris, le *marquis de Montcalm* et le gouverneur, premier Canadien de naissance nommé à ce poste, le *marquis de Vaudreuil-Cavagnal.* Québec capitule le 18 septembre, *James Wolfe,* général de 32 ans meurt sur le champ de bataille des Plaines d'Abraham. Son adversaire français, *Montcalm* perd la vie au même instant. Mais lui est le vaincu.

Montée de Washington

Reddition sans conditions. Hébétude des Canadiens français. Quatre mille d'entre eux, dont la moitié de militaires, demandent à retourner dans leur patrie. Les autres, avant la lettre Pieds-Noirs désespérés, s'accrochent au sol qu'ils ont fécondé. Demeurent avec eux, ils sont 65 000, quelques noblaillons, des petits fonctionnaires, des curés, des bonnes sœurs. Les colonels, les intendants, les monseigneurs sont repartis pour la France. L'Anglais est comme étonné de sa victoire. Ainsi, ce peuple français, fier, imbattable en Europe, a faibli au Nouveau-Monde. Londres qui déjà a treize colonies en obtient une quatorzième, « the province of Québec ». Le *traité de Paris* (1763) consacre la victoire. A l'occupation militaire, relativement douce, succède le régime civil.

Avec les fonctionnaires dépêchés par Londres arrivent les « marchands », carpet-baggers aux dents longues, bien décidés à prendre en main le destin économique du territoire conquis, à angliciser les *Frenchmen,* les anglicaniser, les coloniser totalement. On leur imposera de nouveaux systèmes fiscaux, juridiques, politiques, de nouveaux modes administratifs, le tout dans une langue étrangère. Des courants commerciaux différents sont établis. En dehors de cela, la vie continue, rurale et citadine, pour ces Canadiens devenus brusquement sujets du roi d'Angleterre. Dans le même temps, ce qui devait arriver au sud des Appalaches arrive. Les remuants colons anglais, débarrassés de leurs concurrents de souche française, réclament à présent l'indépendance et se mettent en mesure de l'obtenir. Les dirigeants de Londres veulent qu'échappent à cette insurrection coloniale leurs possessions du Canada. Ils ont là des sujets encore fidèles. Il leur faut donc donner quelques gages à la population française vaincue. Histoire en plusieurs actes. le premier est « l'*Act of Quebec* ». Par décision du roi d'Angleterre, on se prépare à favoriser les Canadiens français, à atténuer les mesures anglicisantes, à ne pas abolir le régime de la coutume de Paris, à leur permettre de vivre en français. Bien sûr, on laissera mains libres aux « marchands » qui se sont emparés du domaine de l'argent, du commerce de la fourrure et du bois. On sera tolérant en matière de religion. D'autant plus que le clergé catholique, nourri de subsides, prône, par sentiment monarchique, le respect de l'autorité, même si celle-ci vient du roi protestant londonien.

Les colons anglais du Canada craignant qu'on n'accorde trop de privilèges aux vaincus d'hier, souhaitent que lois et coutumes britanniques soient obligatoires, notamment l'institution d'assemblées élues parmi les contribuables et l'usage absolu de la langue anglaise. Vue de l'Angleterre, la situation est délicate. Qui favoriser ? les Canadiens français à ménager provisoirement ou bien la minorité « White Anglo Saxon Protestant » qui, frustrée, pourrait se ranger du côté des « insurgeants » ? Au printemps de 1775, *Georges Washington* devient commandant de l'armée des « rebelles ». Il la lance vers le Nord afin d'offrir aux Canadiens les bienfaits de la liberté. A la fin de l'été, deux colonnes sont formées, l'une commandée par le *général Montgommery* marche sur Montréal ; l'autre que mène le *général Benedict Arnold* fonce vers Québec. Le premier s'empare de son objectif. L'autre manque son coup.

Montréal, au temps du régime français

Le deuxième Acte

Les Canadiens français restent neutres, pourtant exhortés par le clergé qui rappelle leur serment d'allégeance à la royauté anglaise et les incite à résister par les armes à ces sujets infidèles, révoltés contre un légitime souverain. En décembre, assaut conjugué contre la ville de Québec. Arnold est blessé. Montgommery tué sur le champ de bataille. Finalement, menacées par un corps expéditionnaire britannique fraîchement débarqué, les troupes américaines doivent se retirer. C'était le 18 juin 1776.

Ainsi Montréal fut, pendant quelques mois, occupée par les troupes américaines. *Benjamin Franklin* envoyé par le Congrès était du voyage. Son rôle : rallier les Canadiens de langue française à la cause de la nouvelle République. Soucieux de répandre par écrit son « credo », il avait commandité l'installation, dans la cité montréalaise, de l'imprimeur *Fleury Mesplet,* natif de la Drôme et fixé à Philadelphie. Mesplet, arrivé trop tard et incarcéré, n'a pu faire fonctionner ses presses — les premières au Canada français — qu'après le départ des forces d'occupation. De son imprimerie est sorti alors le journal « La Gazette », périodique bilingue. Un jour, il deviendra un puissant journal anglophone portant le titre de « The Gazette ». Il paraît encore à Montréal. Quant aux « Canayens », pour eux la vie reprend comme auparavant. A peine entendent-ils le mot rageur et injuste du *général Lafayette :* « Vous vous êtes battus pour demeurer colons au lieu de devenir indépendants. Restez donc esclaves ! »

« L'Act of Quebec » date de 1774. Les Anglais de Londres ont gagné leur pari. Leurs nouveaux sujets canadiens n'ont pas fait cause commune avec les rebelles américains. Ces derniers continuent à leur donner du fil à retordre au sud du lac Champlain ; ils s'allient à l'ennemi héréditaire du Royaume-Uni. Arrivent à leurs côtés les troupes françaises commandées par *Rochambeau*.

1789. Date historique en France. Elle l'est aussi à Washington où vient de naître un nouveau pays, les États-Unis. Première conséquence de cette indépendance pour le Canada : une partie des colons qui habitaient les territoires américains en révolte décident d'aller s'installer là où flotte encore l'Union Jack. Ils sont 35 000 qui montent vers le Nord. L'administration coloniale britannique les accueille bien, leur offre des terres en **Nouvelle-Écosse** et au **Nouveau-Brunswick.** Dans le domaine québécois de la Couronne, près de cinq mille sujets vont être installés au long de la nouvelle frontière, dans les Eastern Townships. Ce sont aujourd'hui les **Cantons de l'Est,** qui, autour de Sherbrooke, constituent une région bien canadienne française dont toutes les villes ont conservé, par tradition, des noms très anglais. Cette présence des « loyalistes » renforce la position anglaise au Québec. Les nouvelles de la « pernicieuse révolution française de 1789 », exploitées par le clergé catholique, affaiblissent en revanche l'irrédentisme français. On respire à Londres. Plus aucune raison de faire la cour aux « French Canadians ». On va pouvoir passer au deuxième acte, le *Constitutional Act de 1791.* Il crée deux Canadas.

Les deux Canadas

Le premier, centré autour de la presqu'île d'Ontario, peuplé en majorité d'anglophones, totalement soumis aux institutions britanniques. L'autre, concentré dans la vallée laurentienne, où les lois civiles françaises vont en partie demeurer insérées dans des institutions anglaises. Les Canadiens anglais acceptent mal un régime composite qui les brime. Les Canadiens français à qui on permet d'être représentés dans un Parlement sont déçus certes, mais ont désormais un moyen d'exprimer leurs tendances vers l'autonomie. De toutes façons, « les marchands » anglais ont conservé le contrôle de l'économie. Il est vain de se croire libre. Le principal commerce n'est plus celui de la fourrure mais celui du bois. Le Canadien français devient bûcheron, draveur, débardeur. Il hisse sur les navires britanniques tout le bois dont l'Angleterre a besoin pour sa marine. Le frêt de retour consiste en immigrants anglophones. La crise économique qui sévit au Royaume-Uni, conséquence de la fin des guerres napoléoniennes, les force à émigrer. Contre cet afflux, les Canadiens français n'ont pour eux que « la revanche des berceaux ». Les naissances sont nombreuses, la mortalité infantile n'empêche pas un fort grossissement de la population québécoise. Il manque de bonnes terres à donner aux enfants : on tentera d'en accroître le nombre par l'ouverture de nouvelles régions agricoles; il faudra aussi se résigner à voir partir pour les États américains de l'Est, nouvellement industrialisés, un grand nombre de jeunes gens du Québec. Au mini-Parlement du Bas-Canada, une petite bourgeoisie francophone qui a remplacé les anciens « seigneurs », se montre volontiers libérale et nationaliste. Il en sortira le Parti canadien. Il lutte contre l'exécutif, soutenu par une coalition de fonctionnaires et de riches bourgeois. Le Parti canadien devient le parti des Patriotes qui demande pour les Canadiens français la souveraineté politique. Ce parti qui en 1837 et 1838 lancera à deux reprises une rébellion, aura son pendant dans le Haut-Canada. L'armée anglaise écrase le soulèvement armé. A Montréal, douze patriotes sont pendus. Les principaux chefs parviennent à fuir aux États-Unis.

Une Province, un Dominion

Le gouvernement anglais, pragmatique, essaye une autre formule. Par l'*Acte de l'Union,* on va unir les deux Canadas en une seule province. Le noyau d'Anglo-Saxons installés à l'Ouest du Québec est désormais assez puissant pour imposer sa loi. Il n'y aura qu'un Parlement où la minorité anglophone sera représentée à égalité avec la majorité francophone. La lourde dette des premiers sera payée par tous. Pour surmonter cette situation, les Canadiens doivent reprendre sans cesse la bataille pour les libertés constitutionnelles. Sa petite élite va s'en charger. Elle engendre un nationalisme exigeant, cette fois appuyé par l'Église locale qui avait fortement critiqué l'« aventure » de 1837-38. La parole est aux politiciens modérés. Ils vont tenter de demeurer présents dans la lutte, de démontrer que la majorité québécoise demeure une force, qu'il est de l'intérêt des deux collectivités de cohabiter le moins mal possible. C'est le « Compromis historique »; il doit son succès au fait que les représentants de la collectivité canadienne française admettent que les chefs de l'autre groupe conservent la plus grande partie du pouvoir économique.

1812. C'est encore la guerre entre l'Angleterre et les États-Unis. Une autre fois, les troupes américaines se lancent contre le Canada. Un vieux rêve de l'Oncle Sam qui n'en finit pas; ajouter des étoiles à son drapeau. En Europe, Napoléon tenaille les Anglais, même s'il piétine en Russie. Sur le continent américain, le sort des armes est longtemps douteux. Une

Le port de Montréal au temps des bateaux à aubes

partie des Canadiens français, commandé par *Sala-berry*, aide cette fois les Anglais. Ils finissent par s'emparer de Washington et mettre le feu à la Maison Blanche. La paix de Gand annule défaites et victoires. Canadiens anglais et Canadiens français, unis provisoirement par leur résistance aux Yankees, font des rêves d'Union. En fait, ce sont des querelles frontalières entre les U.S.A. et le Canada qui sont réglées pour longtemps.

En 1867, nouvelle réforme : Le « *British North American Act.* » Les deux Provinces dites du Canada deviennent l'**Ontario** et le **Québec**. Elles vont contracter avec la **Nouvelle-Ecosse** et le **Nouveau-Brunswick** une Union fédérale, former un « Dominion » assujeti à la Couronne du Royaume-Uni. D'autres Provinces entreront ensuite dans cette confédération. Dans ce système, les Québécois obtiennent la garantie de leurs droits de représentation à l'Assemblée législative, la pleine maîtrise de leur administration scolaire, un parlement local bilingue. L'Acte définit les juridictions respectives du gouvernement fédéral et des gouvernements provinciaux.

Deux guerres mondiales apportent une prospérité et un développement industriel sans précédent sur les rives du Saint-Laurent. Pourtant, chaque fois, naît une « crise de la conscription ». Le Canadien français, qui a pourtant une juste réputation de courage et d'héroïsme, rechigne à « aller se battre sous l'uniforme anglais », quand on veut l'y envoyer contre son gré.

Après le vote, en 1917, de la loi qui enrôle tous les Canadiens, des émeutes éclatent à Québec qui font morts et blessés. En avril 1942, lors d'un plébiscite, 71,2 % des Québécois disent non à la conscription. La mesure n'en est pas moins adoptée à Ottawa. Ces épisodes parmi d'autres ont fait beaucoup pour raviver le sentiment nationaliste du Canadien français. On a fini par s'apercevoir que le Canada n'était pas composé de dix provinces comme on le croyait. Il était divisé en deux « nations ». Deux solitudes, a dit un écrivain canadien anglais de Montréal.

De Duplessis à Bourassa

Depuis la « Constitution » de 1867, toute l'histoire politique québécoise a été faite de luttes engendrées par l'interprétation de la Charte. Constamment, le Québec a tenté d'empêcher le gouvernement d'Ottawa de se saisir des pouvoirs de taxations reconnus aux Provinces ; il a cherché à obtenir dans le concret une équitable répartition des compétences respectives, à conquérir, avec des bonheurs divers, un maximum d'autodétermination. Tâche malaisée, compliquée par le fait que le gouvernement « canadian » est parfois dirigé par des hommes politiques du Québec : *Wilfrid Laurier, Louis Saint-Laurent, Pierre-Eliot Trudeau.* A Québec, les premiers ministres, chacun à leur façon, ont tenté de tirer le meilleur parti possible du fédéralisme. Leurs slogans ont été : « L'autonomie provinciale » (Duplessis), « Maîtres chez nous » (Jean Lesage), « Égalité ou indépendance » (Daniel Johnson), « Souveraineté culturelle » (Robert Bourassa).

Maurice Duplessis a été à la tête du Québec de 1936 à 1959 (avec un retrait de 1939 à 1944). Attaché aux valeurs traditionnelles, partisan inconditionnel de la libre-entreprise, admirateur du capitalisme (surtout made in U.S.A.), soutien des masses rurales, sa devise aurait pu être « Travail, Famille, Patrie ». Sa montée politique coïncide avec un événement sans précédent, signe pour lui du destin : le 28 mai 1934, la femme d'un fermier canadien français met au monde des quintuplées, les sœurs Dionne. Cette naissance multipliée va attirer l'attention du monde entier sur ce vieux Québec, rural, catholique et prolifique. Duplessis, dictateur paternaliste, aujourd'hui très décrié, a osé doter le Québec d'un drapeau bien à lui, à l'époque où le drapeau du Canada rappelait encore furieusement celui de la Grande-Bretagne.

En 1960, le parti libéral, écarté du pouvoir depuis 1936, supplante enfin le parti de l'Union nationale.

Le nouveau premier ministre *Jean Lesage* qui avait affirmé « C'est le temps que ça change » amorce la « Révolution tranquille ». Des réformes politiques et sociales attendues sont adoptées : assurance-hospitalisation gratuite, nationalisation des compagnies d'électricité, refonte du système scolaire, création d'un Ministère de l'éducation, institution de liens entre l'État du Québec et des gouvernements étrangers. Dans ce dernier domaine, il s'agit de s'affranchir de la tutelle du gouvernement fédéral, gardien traditionnel des affaires étrangères. Le Québec entend prolonger à l'extérieur ses droits de compétence interne. Il entame des relations directes avec les gouvernements étrangers afin d'être présent au monde et, singulièrement, aux pays de la francophonie. En 1966, le chef du parti de l'Union nationale, *Daniel Johnson* devient premier ministre. Il poursuit en fait la politique de son prédécesseur, notamment en matière de coopération avec les autres pays.

« Vive le Québec libre ! »

Reçu à Paris comme un chef d'État, le président Johnson reçoit à son tour le général de Gaulle dans la Province canadienne française. C'est, en juillet 1967, la fameuse scène du balcon de l'hôtel de ville de Montréal, le « Vive le Québec libre ! » qui a tant ému le Canada anglais.

L'idée d'indépendance avait fait alors beaucoup de chemin depuis 1957, date de la fondation du mouvement de l'Alliance laurentienne. En 1963, une autre formation souverainiste, le Rassemblement pour l'indépendance nationale, se constituait en parti politique.

A son tour, en 1968, après le Mouvement Souveraineté-Association, le journaliste *René Lévesque,* devenu député et ministre, après avoir rompu avec le parti libéral, fonde le Parti Québécois. Sa formation remporte en avril 1970, 24 % des suffrages, pas assez cependant pour avoir un rôle déterminant au Parlement du Québec.

C'est *Robert Bourassa,* un libéral, qui devient premier ministre. Il choisit une formule de « fédéralisme souple et rentable », tente, en discutant avec Ottawa, d'obtenir les attributs de la « souveraineté culturelle ». Dans le même temps, face aux partis politiques qui cherchent, par la voie électorale, la montée vers l'indépendance, des groupes peu nombreux mais actifs estiment que seule l'action révolutionnaire donnera « Le Québec aux Québécois ». Parmi eux, quelques-uns ont opté pour le terrorisme. En 1963, le Front de Libération du Québec fait exploser à Montréal les premières bombes. En octobre 1970, quelques guerilleros exaltés improvisent le rapt d'un diplomate britannique, M. *James Cross* et d'un ministre du cabinet Bourassa, *Pierre Laporte*. Le premier est libéré ; le second retrouvé étranglé. Tandis que toutes les polices recherchent les ravisseurs et leurs otages, les gouvernements de Québec et d'Ottawa optent pour la ligne dure. Ils affirment que la Province canadienne française est sous le coup d'une « insurrection appréhendée ». Ils obtiennent que soit votée d'urgence une « loi des mesures de guerre ». Les libertés fondamentales sont suspendues. L'armée d'Ottawa occupe Montréal. Les polices organisent des rafles, perquisitionnent, emprisonnent, brutalisent, sans découvrir la moindre trace du prétendu complot.

Cette « crise d'Octobre » n'a fait que renforcer l'idée, chez beaucoup d'indépendantistes, que le mal dont souffre le Québec réside dans les structures même du pays. Au-delà de la souveraineté, ils veulent une remise en question, un changement radical de l'ordre économique, social et politique actuel. Au Québec, société réputée prospère, on compte trop de chômeurs, de travailleurs mal payés, d'assistés sociaux.

La politique traditionnelle québécoise, axée depuis longtemps sur des jeux électoraux, n'a plus cours dans les milieux militants. Ils optent pour des actions plus concrètes et dispersées, par le biais de comités de quartiers, groupes de citoyens, coopératives d'alimentation. Le traditionnel syndicalisme de type nord-américain, animé par des technocrates qui visent surtout au partage de gains tangibles avec le capital, est remis en cause. Au pays du Québec, rien ne doit changer, disait Maria Chapdelaine. Au pays du Québec, tout est en train de changer.

A propos d'histoire

Il est bon de savoir, afin de discuter avec des Québécois :

Que le Québec est une des dix « provinces » du Canada, *fédération* s'appuyant sur une démocratie parlementaire dans laquelle subsistent certaines institutions héritées de la monarchie constitutionnelle de Grande-Bretagne.

Que le Québec compte plus de *six millions d'habitants, dont 80 % sont de langue française.* En outre, les neuf autres États de la fédération comptent chacun un groupe minoritaire francophone plus ou moins important formant une *population totale* de quelque *1,3 million d'habitants.* L'État du Québec est conscient de sa vocation naturelle de point d'appui des Canadiens de langue française. Il demeure le foyer principal de la culture française dans un pays officiellement bilingue et biculturel.

Que la ville de *Québec* est sa *capitale.* On y trouve le Parlement provincial. A cause du régime dans lequel ils vivent, les Québécois élisent aussi des députés qui les représentent à Ottawa, capitale de la Confédération.

Officiellement, le Québec est une *Province.* Mais tout Québécois épris d'identité nationale vous explique que le mot « Province » choisi autrefois par le gouvernement anglais signifiait alors « colonie » (c'est le sens latin du mot. Rome nommait ainsi les territoires conquis qu'elle plaçait sous l'autorité d'un gouverneur). Même si les plaques d'automobiles portent cette mention « La Belle Province », certains préfèrent ici le mot État, comme on dit, aux États-Unis, l'État du Texas. A la rigueur, on préférera dire tout court : Le Québec.

Les mots Canada et Québec posent aussi des problèmes. *Kanada,* dans la langue des Indiens voulait dire quelque chose comme : « rassemblement de cabanes » et *Kébec* « endroit où un fleuve devient étroit ».

Dans son ouvrage, « Les Québécois », le sociologue montréalais Marcel Rioux souligne qu'à la fin du régime français, le terme « *Canadien* » désignait uniquement les Français qui avaient choisi de demeurer en Nouvelle-France par opposition à ceux venus, à titre temporaire, de la métropole. Lorsqu'après la conquête, les anglophones devinrent nombreux au Canada, ils se donnèrent le nom de « *Canadians* », appliquant à leurs compatriotes francophones le terme de « *French Canadians* », très mal traduit par « *Canadiens français* ». Ceux-ci préfèrent alors se qualifier de « *Canayens* ».

Quant au mot *Québécois,* d'abord nom des habitants de la ville de Québec et de la province éponyme, il a été, depuis une dizaine d'années, dit Rioux, « revalorisé au point de devenir une espèce de symbole de l'affirmation de soi, d'autodétermination et de libération nationale...; assez paradoxalement, le terme de Québécois exclut les minorités francophones du Canada, mais inclut la minorité anglophone du Québec ».

Certains continuent à utiliser pour désigner les Nord-Américains francophones du Canada, l'expression « Canadiens français » (ces « Français du Canada », disait de Gaulle sur un ton nostalgique). Beaucoup d'entre eux, puisqu'ils sont concentrés au Québec, préfèrent se dire Québécois.

Le Québec d'aujourd'hui

Visages de l'économie

65 % des Québécois travaillent dans les bureaux, les magasins, les entrepôts ; bref, dans ce qu'on appelle le secteur tertiaire. 25 % travaillent dans les usines, ateliers et manufactures. 5 % dans le bâtiment ; moins de 6 % relèvent du secteur primaire.

Dans cette dernière catégorie se situent les agriculteurs. Ils ont peu de choses en commun avec le « farmer » de l'Ouest canadien qui cultive le blé sur des milliers d'acres de la Prairie ou y élève des grands troupeaux. Le rural du Québec est surtout un petit fermier.

Marquée par le dépeuplement rural, la concentration des entreprises, l'agriculture est principalement centrée sur l'élevage des bovins laitiers ou destinés à la boucherie. Vient ensuite l'élevage de porcs et de volailles « fabriqués » industriellement pour leur chair et leurs œufs. Pour nourrir ce cheptel, on « fait » surtout du maïs fourrager conservé dans de hauts silos, du foin, de l'avoine, de la pomme de terre. Pour le reste des besoins, on plante aussi, en moindres quantités, du blé, de l'orge (pour la bière, boisson nationale) du tabac, du lin à graines, un peu de betterave sucrière (mais le sucre arrive surtout d'outre-mer). La culture maraîchère, concentrée autour des villes de la plaine laurentienne, est concurrencée par les produits agricoles qui viennent des États-Unis ou de régions du Canada où le climat est moins rigoureux. L'horticulteur québécois réussit pourtant bien carottes, oignons, concombres, pois, haricots, tomates ; les vergers fournissent pommes, fraises, framboises et les « talles », des myrtilles succulentes, appelées ici bleuets. Enfin, une originalité de l'agriculture québécoise : l'acériculture, soit la production de sucre d'érable tiré de la sève de cet arbre national. Le fermier québécois, s'il veut aujourd'hui se maintenir sur son sol, parfois convoité par les promoteurs immobiliers, doit devenir un technocrate industriel de la terre ou se consacrer à des productions rares : fromage de chèvre, agneau de boucherie, élevage d'animaux à fourrures. Sinon, il doit disparaître.

Les hommes des bois

Autrefois, le cultivateur avait la ressource de travailler pendant les mois d'été « sur » sa ferme et, à l'automne, de monter vers les « chantiers », emportant sa scie mécanique sur l'épaule : il coupait le bois destiné aux fabriques de papier. Aujourd'hui, la mécanisation de plus en plus poussée éloigne le bûcheron à temps partiel des forêts; elle le prive du revenu qui lui permettait, avec sa famille, de maintenir sans trop de soucis son exploitation agricole.

Seuls, les trois cinquièmes des arbres de la forêt québécoise ont une valeur commerciale (ceux de la taïga, par exemple, trop petits ou trop loin, ne sont pas exploitables). Ce qui reste constitue tout de même un domaine boisé aussi vaste que la France et la Grande-Bretagne réunies. On y abat chaque année environ 45 millions de m³ de bois. Les trois quarts de ces arbres servent à faire de la pâte à papier; le reste est destiné au bois de sciage ou sert à faire du contre-plaqué.

Champion numéro un de l'industrie québécoise : celle des pâtes et papiers est en tête pour l'investissement des capitaux, l'emploi, la consommation d'énergie hydraulique, le transport; elle se range au premier plan des industries exportatrices de tout le Canada; sa valeur de production : un milliard de dollars. Le Québec exporte près de 4 millions de tonnes, soit les quatre cinquièmes de sa production.

De l'énergie à revendre

Le Québec est aussi grand producteur et exportateur d'énergie électrique. De moins de 9 milliards de kW/h en 1930, il passe, de dix ans en dix ans, à 16 milliards, 28 milliards, 50 milliards, 70 milliards. Dans les dix prochaines années, la consommation annuelle doit passer de 77 à 147 milliards de kW/h.

C'est l'*Hydro-Québec* (société dont les biens appartiennent à la Province), premier producteur d'électricité du Canada, qui fournit le courant. Créée en 1944, elle a le quasi-monopole de la mise en valeur du potentiel électrique. Elle a notamment construit sur la rivière Manicouagan, dans le Nord-Est du Québec, le complexe Manic-Outardes. Son barrage

Sur la rivière Manicouagan, le barrage Manic V, énergie perpétuelle

le plus célèbre — il porte le nom de l'ancien ministre Daniel Johnson — est le plus grand du genre au monde (voûtes multiples et contreforts). Autre réussite de l'Hydro-Québec : des lignes de transport d'énergie sous tension de 735 000 volts, reliant, sur une distance de près de 600 km, les installations Manicouagan-Outardes à la région Québec-Montréal. Actuellement, le Québec construit, près du rivage de la baie James à 1 000 km au Nord-Ouest de Montréal, un autre complexe hydro-électrique dans un bassin hydrographique de 205 000 km^2 (la moitié de la France). Dans ces solitudes subboréales, pour les dix ans à venir, des milliers d'hommes détournent de turbulentes rivières, vont édifier 143 digues et barrages, creusent des galeries dans le vieux roc précambrien, bâtissent des centrales, tracent des routes, construisent des villages, édifient des aéroports, préparent l'installation de lignes de transport d'énergie. Le but : avant la fin de l'an 2 000, grâce aux nouvelles centrales de la rivière LaGrande, produire annuellement 70 milliards de kW/h.

Autre projet : la première centrale expérimentale de Gentilly, près de Trois-Rivières, fabrique déjà annuellement 250 000 kW d'électricité « nucléaire ».

Ainsi, le Québec riche en énergie peut en vendre aux États voisins (Ontario, Nouveau-Brunswick et New York). Dans cette dernière région la demande de pointe, à cause de la climatisation, survient en été alors qu'au Québec la demande principale, à cause des besoins de chauffage, se fait en hiver.

Le royaume du fer

Dans d'autres domaines de l'économie, la Province enregistre d'autres records : elle est la seule à produire au Canada du colombium, du feldspath et du quartz. Elle vient au premier rang pour l'amiante, le bismuth et le sélénium; au second pour le zinc, le cuivre, l'or et le molybdène. Dans le domaine mondial, elle est championne toutes catégories pour l'amiante et elle est bien placée pour le cuivre, le zinc, l'or et le fer. On estime à 4 milliards de tonnes les réserves de ce minerai. Le gisement principal, à peine entamé, s'étend sur environ 640 km de long, sur 24 à 80 km de large dans la région nordique de Schefferville. Des milliers de prospecteurs continuent à étudier le sol et à découvrir de nouveaux gisements métallifères qui seront exploités au fur et à mesure des besoins (et des possibilités de coups de bourse d'une industrie très capitaliste).

Totalement dépourvu de minerai de bauxite, le Québec, à cause de son potentiel hydro-électrique, est un important producteur d'aluminium.

Il faut ajouter à ce brillant tableau de larges taches sombres : l'économie québécoise est sous le contrôle de l'étranger, principalement des compagnies des États-Unis et du Canada anglais; elles ont la haute main sur 40 % du secteur minier et 60 % du domaine manufacturier. A cause de cette dépendance, on parle beaucoup anglais dans les sièges sociaux des grandes entreprises du Québec. Les postes les plus importants et les plus rémunérateurs vont presque tous à de purs anglophones; sous leur autorité, les Canadiens français doivent travailler dans une langue qui n'est pas la leur.

Les Québécois, qui sont-ils?

D'où viennent-ils?

Un Québécois c'est, le plus généralement, un *Nord-Américain de langue française* dont les ancêtres ont quitté, entre 1608 et 1760, les provinces françaises de l'Ouest pour s'installer au Canada.

Les 5 000 premiers colons venus en Nouvelle-France au XVIe siècle étaient tous catholiques, ainsi que les 5 000 autres arrivés au siècle suivant. Dans la première série, 18,5 % venaient de Normandie contre 10,9 % dans la seconde. Les chiffres donnent ensuite : Ile de France (14,7 - 12,2), Poitou (10,9 - 6), Aunis, Iles de Ré et Oléron (10,6 - 5,6), Saintonge (5,8 - 5,5), Perche (3,9), Bretagne (3,5 - 8,2), Anjou (3 - 2,6), Champagne (2,8 - 3,4), Maine (2,7), Guyenne (2,6 - 5,8), Limousin et Périgord (2,4), Picardie (2,2 - 2,2), Angoumois (2), Touraine (1,9). Au XVIIIe sont encore venus des colons partis de Beauce (1,9), Languedoc (5,2), Gascogne (4,6), Lorraine (2,1), France-Comté (2,1), Bourgogne (2,1). Lorsqu'en 1763, la Nouvelle-France devient « The Province of Québec », sa population, descendant des quelque 10 000 Français qui y avaient émigré au cours d'une période de 150 ans, est d'environ 60 000 habitants. En 1911, elle est de deux millions. Aujourd'hui, de six millions (81 % de francophones). La forte natalité explique cette montée. De 1760 à 1860, la population du monde s'est multipliée par 4. La population européenne par 5 ou 6. Les Canadiens d'origine française par 80. Et ce, malgré des départs importants de Québécois vers les États-Unis où ils allaient tenter leur chance et souvent s'implanter. Encore aujourd'hui, et en partie à cause d'eux, près d'un million de citoyens des U.S.A. ont le français comme seconde langue. Après 1860 cette fécondité exceptionnelle s'est maintenue pour baisser brusquement cent ans après. Depuis 1961, le taux de natalité est inférieur à la moyenne canadienne. Le nombre d'immigrants

baisse aussi et les arrivants plus rares s'intègrent principalement au groupe anglophone. Les gens qui quittent le Québec pour aller vivre ailleurs sont bien plus nombreux que ceux qui viennent s'y installer.

Au Québec, depuis le début de ce siècle, l'*immigration francophone* a été peu considérable et demeure faible. De 1964 à 1970, quelque 35 000 personnes sont venues de France, 4 000 de Belgique, 12 000 des Antilles. Celles, bien plus nombreuses arrivées de Grande-Bretagne, des Etats-Unis, d'Allemagne fédérale, de Grèce, d'Italie, du Portugal et autres pays ont principalement renforcé les positions anglophones.

La première vague d'immigrants britanniques s'est abattue sur le Canada français vers 1776 avec l'arrivée des Loyalistes, « Pieds-Noirs » fidèles au roi d'Angleterre qui, refusant de devenir citoyens de la nouvelle république américaine, mais peu décidés à revenir dans la mère-patrie, ont émigré d'une colonie anglaise perdue à une autre qui leur semblait avoir un grand avenir.

Leur arrivée n'a guère contrebalancé un afflux francophone parallèle, celui de quelques milliers d'Acadiens; c'étaient des *Canadiens de langue française* qui vivaient dans ce qui est aujourd'hui la Nouvelle-Écosse. Dispersés de force en 1755, beaucoup se sont installés au Québec. (Quelques-uns ont choisi la Louisiane et d'autres Belle-île-en-mer).

Comment s'appellent-ils?

L'homogénéité du peuplement français explique que les Québécois se partagent environ quatre cents patronymes. Si vous avez oublié le numéro de téléphone et l'adresse de votre ami Tremblay, vous aurez du mal à le retrouver dans les colonnes de l'annuaire de la « Bell Téléphone » de Montréal : il y en a 3 925, dont 125 Joseph Tremblay. Viennent ensuite les Roy qui sont légion; puis, presque à égalité, les Gagnon, suivis des Gauthier, Les Bergeron ensuite, ne sont plus que 1 760. A leur suite, presque aussi nombreux, les Charbonneau, les Lalonde, les Lapointe, les Labelle.

Notez qu'il y a 710 Trudeau et 330 Bourassa. Du côté anglophone, les noms les plus répandus sont Smith et Brown. Ce sont pour la plupart des noms d'emprunt, indiqués par des abonnés soucieux d'anonymat; peut-être encore d'autres Tremblay ou d'autres Roy !

Pourtant, les études de fréquence des noms, faites par les spécialistes de la démographie indiquent, pour la période allant de 1621 à 1699, que les noms les plus répandus dans la Nouvelle-France étaient alors Boucher, Langlois, Martin, Cloutier (encore très répandus au Québec). Les ancêtres des Tremblay, Roy et compagnie seraient venus ensuite et auraient inondé de leurs descendants la jeune colonie. On sait que pour la France, les noms les plus fréquents sont aujourd'hui Martin (170 000 homonymes), Bernard (100 000), Durand (80 000), Dubois (79 000), Petit (78 000), puis Thomas, Robert, Moreau, Richard, Michel, etc. Pour revenir au Québec, il faut savoir que des phénomènes sociologiques ont brouillé la ramification des arbres généalogiques. Ainsi, dans certains villages au long du Saint-Laurent, tout le monde finissait par porter le même nom. Il suffisait qu'un fermier prolifique ait, parmi ses quinze enfants, une douzaine de garçons pour qu'à leur tour, ceux-là qui épousaient les filles des voisins imposent leur patronyme partout à la ronde. Pour distinguer tous ces gens qui s'appelaient Langlois ou Bouchard, on les affublait de sobriquets : souvent cocasses — dont certains sont devenus des noms de famille. A cause des homonymes trop nombreux, on désignait aussi ses concitoyens avec des phrases du genre : « Le Jacques - à - l'Angèle - à - Zéphyrin - à - l'Emile - à René ». A moins qu'une famille, fatiguée de toutes ces complications, ne finisse par adopter un nom arbitraire; ainsi, toute une série de Ménard devenait des Lafontaine ou des Gélinas devenaient des Bellemare pour la suite des temps.

Il y a encore les noms d'anciens militaires fixés dans la colonie, qui ont gardé de savoureux sobriquets de guerre : Latendresse, Tranchemontagne, Latulipe, et autres Sansregret, à peu près inconnus en France.

Si les noms de famille sont rares, les prénoms, en revanche, sont innombrables. On a donné, surtout aux moins jeunes, des noms de baptême qui paraissent désuets en France ou y sont totalement inconnus : Ovide, Rosaire, Roméo, Adélart, Jovette, Trefflé, Cordule, Jeanne-d'Arc, Délima (à cause de Rose), Vianney (à cause du curé d'Ars). Que de Bertha, de Rosalda, de prénoms féminins calqués sur celui de Victoria, célèbre reine d'Angleterre. Mais Ovila est un prénom masculin. Il arrive aussi qu'on donne à l'enfant comme prénom le nom de famille de sa mère : ainsi rencontre-t-on des Demontigny Marchand, des Miville Couture, des Ledoux Beauparlant...

Il y a des noms typiquement canadiens français. Rien qu'à entendre le vôtre, si vous ne faites pas partie des quatre cents familles, on vous classera immédiatement dans la catégorie des « étranges ». En revanche vous serez adopté, même avec une ascendance et un accent typiquement français, s'il arrive que vous vous appeliez Tremblay, Blouin, Faucher, Godin ou Talbot.

Ne vous y trompez pas. Un Québécois « pur laine » peut aussi s'appeler White, Ryan, Biondi, Bruchési. Le journaliste Dostaler O'Leary, en dépit de son beau nom saxon, ne parlait pas un mot d'anglais.

Les choses changent, l'immigration récente modifie peu à peu les listes de noms. Les Saïgonnais, récemment implantés à Montréal feront qu'un jour, on trouvera normal que des Québécois puissent s'appeler Trân-Van-Nguyên.

Indiens et Esquimaux

Le touriste ne doit pas s'attendre à rencontrer un Indien emplumé au coin des rues Sainte-Catherine et Amherst. Vous en trouverez peut-être en chemin, habillés comme vous et moi. En fait, les quelques 20 000 Indiens du Québec (un dizième de la population indienne du Canada) vivent dans de nombreux territoires qui leur sont réservés, tels **Caughnawaga,** au Sud de Montréal, l'**Ancienne-Lorette,** près de Québec, **Pointe-Bleue,** au lac Saint-Jean. Selon l'acte confédératif de 1867, totalement pris en charge par l'Etat fédéral, ils peuvent chasser en tout temps, circuler à travers l'Amérique du Nord sans passeport; ils sont exemptés d'impôts, reçoivent des allocations spéciales, des soins médicaux gratuits; leurs écoles sont à la charge de l'État; ils peuvent élire leurs chefs locaux et voter comme les autres Canadiens à condition qu'ils habitent dans les réserves qui leurs sont assignées.

Lorsqu'on traverse en voiture leurs villages, rien ne les distingue des autres villages du Québec : même type de maisons, de jardinets, de magasins; autant de voitures, d'antennes de télévision; mêmes vêtements que leurs compatriotes. Le tout paraît peut-être un peu moins riche; seuls les épidermes sont plus foncés, les cheveux plus noirs.

Pour les fêtes ancestrales, les Indiens revêtent des costumes de peaux, à bords frangés, brodés de perles et portent un bandeau dans les cheveux. Certains arborent cette tenue pour attirer les touristes vers les magasins de souvenirs où se côtoient les paniers tissés, les boîtes en écorce de bouleau, les sculptures authentiques, les peaux de renard et des objets fabriqués en série du côté de Hong-Kong.

Seuls ceux qui habitent les réserves lointaines vivent principalement de la chasse et de la pêche et mènent une vie qui ressemble à celle de leurs ancêtres. Ils sont d'excellents guides pour les pêcheurs et les chasseurs blancs. D'autres travaillent dans les industries minières du Nord.
L'Indien qui décide de vivre définitivement en dehors

de la réserve parce qu'il est las d'être chômeur ou
assisté social, perd les privilèges octroyés par le
gouvernement fédéral. Il est alors considéré comme
citoyen ordinaire. Quelques-uns réussissent à se faire
un nom dans la société des Blancs. Ainsi, Jean-Paul
Nolet, célèbre speaker (on dit ici annonceur) de la
radio et de la télévision et parfait polyglotte.

On assiste depuis quelques années à une politisation
des Indiens : leurs leaders veulent, par une action
collective, revendiquer une place plus juste dans la
société. Récemment, la vente aux enchères de collections d'objets indiens dans un hôtel très chic de
Montréal a été troublée par un groupe; celui-ci a
organisé sur le champ une conférence de presse, afin
de rappeler que le pillage des biens culturels de leur
race était la source d'un commerce dont ils ne
recueillaient aucun bénéfice.

Les *Esquimaux* du Québec, non dispersés comme les Indiens, habitent une douzaine de petits villages sur la côte la plus septentrionale du Nouveau-Québec et des rives de la baie d'Hudson. Maisons de bois ou de tôles soigneusement calfeutrées ; on n'y voit plus

Une Esquimaude, elle aussi Québécoise

d'igloo, l'Esquimau ou « Innuit » (ce qui veut dire « homme véritable » dans sa langue) sait encore le construire, mais par un traditionnel sens de l'économie des moyens, ne le fait que pour s'assurer un abri temporaire lorsqu'il chasse ou pêche loin de sa demeure principale. Grâce à la motoneige, l'Esquimau n'a presque plus besoin de chiens d'attelage ; il remorque avec son véhicule mécanique le traîneau classique qui lui est encore utile. De moins en moins il se revêt de vêtements de peaux de fourrures ; il peut acheter au magasin ou à la coopérative des habits de nylon à l'épreuve du froid, ainsi que des armes, des munitions et divers gadgets. Cela lui épargne de tailler l'os de baleine, d'utiliser les tendons de phoque ou les arêtes de poisson pour fabriquer, comme autrefois, des objets de première nécessité.

Les « Anglais »

On dit ici qu'un Québécois qui n'est ni Indien, ni Innuit et qui ne parle pas français est un *Anglais*. Parfois, il l'est, descendant de Britanniques installés depuis longtemps dans la Province canadienne française. Parfois, cet « anglais » n'est autre qu'un immigré récent d'origine allemande, italienne ou portugaise. C'est un fait contre lequel les Québécois tentent de lutter : ce nouveau venu a une forte tendance à opter pour l'anglophonie. Excepté parfois les « Français de France », ou quelques francophones du Maghreb, de Belgique, d'Haïti ou de Suisse, ou encore quelques-uns qui estiment qu'au Québec on doit s'exprimer comme les Québécois le font.

L'Anglo-saxon « pur laine », fixé en terre québécoise, appartient à une petite minorité habituée à être dominante dans une majorité dominée. Tous ne sont pas des « boss » ou des « sous-boss »; il y a de nombreux gagne-petit, terriblement jaloux de leurs privilèges, attachés aux « droits acquis », qui refusent encore l'usage du français. Ils estiment toutefois que leurs enfants, pour demeurer dans la Belle Province, devraient être bilingues. Il y a aussi d'autres façons d'être bilingue au Québec. Ainsi, l'Esquimau peut parler sa langue en plus du français ou de l'anglais. Des avions de Nordair et de Québecair donnent aussi les indications de sécurité dans le parler des Innuits.

Les Français du Canada

Les *Français immigrés* sont environ 35 000 au Québec. L'immatriculation dans les consulats n'étant plus obligatoire, leur nombre ne peut être connu exactement. Ils travaillent dans le commerce, surtout l'import-export, la restauration, les salons de coiffure, l'enseignement. Il fut un moment où beaucoup de gens de théâtre, de chanteurs de variétés étaient Français (de France), comme le précisent les Québécois. Ils reprochent souvent et, à juste raison, à leurs cousins de commencer un peu trop souvent leurs phrases par « Nous, en France... ». Même s'il a épousé une Québécoise, le Français immigré espère toujours mettre assez de dollars de côté pour finir ses jours là où il est né. Il profite généralement de la possibilité qu'il a, après cinq ans de séjour, d'obtenir la citoyenneté canadienne. La possession d'un passeport aux armes du Canada ne lui retire ni son accent, ni ses réflexes « made in France ».

Les Français du Québec n'oublient pas de fêter l'Armistice. La fête de Jeanne d'Arc est célébrée par une messe et des dépôts de fleurs : il existe deux statues de l'héroïne à Montréal et une à Québec. Le

AUTHORIZED PASSENGERS ONLY PAST THIS POINT

SEULS LES PASSAGERS AUTORISES PEUVENT FRANCHIR CE POINT

ᐃᑉᓪᕐᕐᒎ
ᐲᕐᐃᕋ
ᒥᐳᓇᐊᒡ

En langue esquimaude aussi

14 juillet est jour de grandes réjouissances. Elles ont lieu à Montréal au siège de l'Union Nationale française : au carré Viger, le consul général reçoit ses compatriotes, leur adresse la parole. On chante la Marseillaise, on boit le mousseux. Le soir, c'est le bal traditionnel : accordéon, banderoles tricolores, vin rouge. Beaucoup de Québécois aiment à assister à cette fête. Souvent, l'équipage d'un navire de guerre français vient relâcher à Montréal pour la circonstance. Les col bleus ajoutent encore à la couleur française.

Des gens pas comme les autres

Un peu plus de douze générations ont fait des colons français enracinés en terre nord-américaine un groupe humain qui ne ressemble à nul autre : modelés par le milieu physique, vivant au confluent de plusieurs cultures, les Canadiens français ont aujourd'hui des traits qui surprennent toujours leurs « cousins » de France.

La *Société des Alcools,* par exemple. Un ensemble de conditions a voulu que le commerce des vins et spiritueux soit devenu depuis les années 1920 un monopole de l'État. Un organisme est né qui avait, il n'y a pas si longtemps, le titre pompeux de « Commission des liqueurs », aujourd'hui la Société des Alcools, chargée de la mise sur le marché des boissons alcoolisées. On ne peut s'en procurer que dans des magasins du gouvernement où des fonctionnaires, au gré d'heures d'ouverture fixées par la loi, débitent vins et alcools (on achète toutefois la bière et le cidre dans certaines épiceries dites « licenciées »). Dans tout le Canada existe cette législation curieuse. Mais seul le Québec propose un très large éventail de produits. Outre les établissements ordinaires, pourvus d'un large choix, deux boutiques, sont ouvertes à Québec et à Montréal dans lesquelles on propose un choix très sophistiqué de crus rares et de liquides alcoolisés très cosmopolites. N'oubliez pas que les magasins de la S.A.Q. sont fermés les dimanches et jours de fête (Ils doivent aussi tenir porte close les jours d'élection). Les produits qu'on y vend, chargés de taxes diverses, ne sont pas bon marché.

Les pharmacies du Canada

Parlons des *pharmacies.* Autrefois, Charles Trenet les a chantées : « on y trouve de tout », comme dans tout « drug-store » américain : des bibelots, des jouets d'enfants, un bureau de poste, du tabac, des journaux, des produits de beauté, de la confiserie, des vêtements. On y vend aussi des médicaments de toutes sortes. Il faut dire qu'au Québec, de plus en plus, l'officine proprement dite est séparée du bazar et du restaurant. Au comptoir, on peut commander une soupe aux pois, des spaghetti à la sauce, du « bacon and eggs » et le « banana-split », ce monument culinaire à base de crème glacée, de crème fouettée et de bananes tranchées. Le tout arrosé de liquides non alcoolisés de couleurs variées, ou d'un café dit « régulier » (ni filtre, ni expresso). Signe particulier à Montréal, il est quasi impossible après 7 ou 8 h du soir de trouver une pharmacie ouverte. Si vous êtes en voyage, munissez-vous le jour de remèdes et accessoires de première nécessité.

Les Québécois ont aussi hérité des Américains le triste et étrange *salon mortuaire*. Les parents, les amis chers, ne sont jamais veillés à leur domicile, mais dans des locaux somptueusement décorés et fleuris. Autour du cercueil, dont le couvercle est relevé afin d'apercevoir le défunt maquillé, bien coiffé, pourvu d'un éternel et calme sourire, les visiteurs, alertés par la chronique funéraire des journaux, sont nombreux. C'est le dernier salon où l'on cause, parfois sans retenue.

Au Québec, comme partout ailleurs à travers l'Amérique, on achète tabac et cigarettes dans toutes sortes d'endroits. Le vrai *« tabaconiste »* est le seul à offrir un grand choix de produits à base d'herbe à Nicot; spécialités américaines, anglaises, françaises, (la Gitane bout filtre, fabriquée en Amérique du Nord a de plus en plus d'adeptes, ainsi que la Gauloise locale). On peut aussi trouver parfois des produits assez exotiques et des pipes, dont la célèbre pipe de maïs.

Le Canadien traditionnel ne fumait guère que cette bouffarde ou encore celle de plâtre, emplie d'un tabac local assez fort, qu'il faisait pousser ou achetait aux cultivateurs. La société de consommation l'a conduit vers la cigarette, de préférence blondasse, munie de lièges et de filtres.

Consommez, consommez

On remarquera à ce sujet que ce pays est très sensible aux attraits de la publicité. Plus qu'ailleurs, elle guette constamment ses victimes, les incitant sans cesse par les journaux, les affiches, la radio, la télévision, le courrier; ces incitations proposent des « ventes », des « aubaines ». On annonce des concours faciles et souvent fallacieux, des bons de réduction bidon. On promet la lune pour vendre n'importe quoi, après avoir atténué le sens critique du client. On s'en prend à ses sentiments les plus intimes (nationalisme ou sexualité) pour l'obliger à sucer plus de chewing-gum (en québécois « gomme à mâcher »), à conduire les voitures les plus coûteuses, acquérir les objets les plus inutiles, à boire encore plus de bière.

La *bière,* c'est une des religions du Québécois. Le « bon » intendant Jean Talon qui a régné de façon brève mais énergique sur l'économie de la petite colonie, créa vers 1665, les premières brasseries. Il s'agissait de donner aux « Canayens », privés du Muscadet ou de la gnole de France, une boisson un peu corsée, tirée, faute de vignes locales, de l'orge qui poussait bien dans la plaine du Saint-Laurent. Les traditions anglo-saxonnes ont consolidé cette première habitude. La bière, fabriquée dans d'immenses usines, distribuée méthodiquement, vantée selon les méthodes les plus raffinées du « marketing », fait partie de la vie. Les annonces le répètent mille fois : c'est ce qu'on aime, qu'on boit chez nous, que grand-père aimait et qui nous rend tous si heureux! Tout le monde en a dans son réfrigérateur. Si l'on en boit rarement, le parent, l'ami, le voisin qui peut sonner à la porte aimera qu'on lui en propose un verre. On l'achète par caisses de douze bouteilles ou douze contenants de métal, munis d'un système perfectionné de décapsulation. Un geste et coule le liquide blond, chargé de bulles et d'une mythologie soigneusement entretenue par les publicitaires.

L'âge des tavernes

On ne part pas pour la partie de chasse ou de pêche, pour le pique-nique, pour le golf, la réunion de copains, sans sa caisse de bière. Elle figure dans toutes les réunions sociales, les célébrations de toutes sortes. C'est la récompense du travailleur qui rentre à la maison, le signe de son confort. Clic, on ouvre la porte du réfrigérateur, clic, on ouvre la bouteille ou la canette. Glou, glou, on la boit en soupirant d'aise.

Le véritable endroit pour profiter de ce fabuleux liquide, c'est encore la *taverne.* C'est l'institution nationale par excellence. On en trouve un peu moins que de bistrots en France ou d'estaminets en Belgique. Mais chaque quartier des grandes villes, chaque bon coin des villages en est pourvu. Tavernes riches, rutilantes sous le néon, dotées de sièges confortables ; tavernes hygiéniques à parois de céramique blanche ; tavernes modestes avec guéridons de plastique et chaises de bois ; tavernes minables ; tavernes un peu surréalistes où chacun à l'air d'attendre Godot. Partout, une forte odeur de malt et de fumée de cigarette. Dans un coin, un gros appareil de télévision en couleurs qu'on entend mal et qu'on regarde distraitement. Les « waiters » en tablier blanc portent des plateaux de verres. On les commande en faisant un geste de la main. Un doigt par verre. Parfois dix qu'on installe devant le buveur. Il faut payer tout de suite. Sur les tables, également des cendriers et des salières — certains Québécois aiment assaisonner leur bière d'un jet de sel et ainsi en faire foisonner les bulles. On peut boire en solitaire, morose, mais on aime plutôt être entouré d'amis afin d'échanger des pensées sur la politique ou le sport ; rien ne vaut alors une « drafte », bière à la pression, non pasteurisée, servie avec un court « collet » blanc. Les tavernes, dernier refuge de l'homme libre, sont fermées aux femmes.

On peut parfois manger dans les tavernes : nourritures solides pour hommes faits : œufs durs conservés dans le vinaigre, rôti de porc, rosbeef bien rouge, frites, fromage fort. Certaines tavernes portent le nom de brasseries. On y boit, on y mange. Les dames y sont admises.

On aura compris, à propos de la bière, la présence lancinante de la publicité. Le touriste de passage doit se méfier. Il peut, lui aussi, faiblir.

Les clubs

Les *clubs,* institutions très britanniques, ont été pendant de très longues années fermés aux Canadiens français; non pas que ceux-ci fussent indignes d'être membres des assemblées de Lions, Kiwanis, Rotary ou autres; leurs curés ne tenaient pas à ce que les plus influents de leurs ouailles entrassent dans ces organisations, suspectes à leurs yeux d'avoir partie liée avec d'obscures francs-maçonneries, où l'anglais était de rigueur et la religion principale fondée sur l'antipapisme.

Les gens du Québec ont donc créé pour eux des associations uniquement francophones, accueillantes à l'aumônier désigné par l'évêque. Ainsi sont nés, entre autres, les Clubs Richelieu. Adaptant à leur caractère exhubérant les mœurs des sociétés britanniques, les Canadiens français ont fait de leurs clubs de très joyeuses assemblées; elles réunissent régulièrement les hommes d'affaires et les membres des professions libérales appelés ici « professionnels » (c'est-à-dire médecins, pharmaciens, notaires, avocats, ingénieurs, etc.,). L'ambiance détendue, les chants repris en chœur ne sont que prétextes : il s'agit de réunir des fonds destinés à des actions humanitaires.

Désormais les Québécois entrent dans tous les clubs, même les plus austères; ils y ajoutent leur touche francophone, génératrice d'une ambiance bon enfant.

Si vous appartenez à l'un ou l'autre de ces clubs, voici leur numéro de téléphone à Montréal. **Richelieu** : 866.60.49 - **Rotary** : 861.62.85 - **Lions** : 288.65.83 - **Chevaliers de Colomb** : 849.36.34 - **Kiwanis-Saint-Laurent** : 842.91.95.

Le niveau de vie des Québécois, comme celui des autres Canadiens, est parmi les plus élevés du monde : 94,5 % des ménages ont le téléphone, 68,5 % une voiture, 91,5 % une baignoire, 86,5 % une machine automatique à laver le linge, 88 % un récepteur de télévision, 97 % un poste de radio, 99 % un réfrigérateur. Il n'en demeure pas moins que le taux de chômage est particulièrement élevé au Québec, que, parmi ses habitants, trop nombreux sont ceux qui reçoivent des prestations des services d'aide sociale.

Il était une foi

Il n'y a pas si longtemps, la Province de Québec semblait être la véritable fille aînée de l'Église. Ses habitants francophones donnaient au reste du monde catholique l'exemple édifiant d'un taux de pratique très haut. Chez les Canadiens français, chacun avait fait sa première communion, se mariait à l'église, y faisait baptiser les enfants, la fréquentait régulièrement, payait la dîme, entendait qu'au jour du trépas le prêtre soit présent.

On le faisait par conviction, par routine, sous le poids des traditions ou des pressions sociales; mais on le faisait de bon cœur. On n'avait d'ailleurs pas le choix; seuls les curés tenaient les registres de l'état civil, enregistraient, au nom du gouvernement, naissances avec baptêmes, mariages avec sacrements des époux et décès avec funérailles religieuses.

Le prêtre, le religieux, la religieuse étaient hautement considérés et naturellement autoritaires. Ils tenaient, comme ils le disaient, leur autorité de Dieu, mais aussi, comme ils ne le disaient pas toujours, de circonstances historiques. Après le départ des élites vers 1760, les curés de villages, les moines, seuls personnages instruits dans les paroisses, avaient, par suppléance, rempli bien des rôles au service de leurs ouailles, tandis que les « bonnes sœurs » prenaient en main l'instruction des enfants, perpétuant ainsi l'usage du français. Tous étaient parés d'un grand prestige. Depuis, chaque mère canadienne française priait pour que, parmi ses nombreux enfants — c'était péché « d'empêcher la famille » — il y eut de nombreuses vocations. Le clergé, considéré et bien nourri, ne paraissait pas pour autant appartenir à un ordre social supérieur et redoutable. Issu du peuple, le prêtre tutoyait toute la société. C'était d'ailleurs toujours un frère, un cousin, un oncle, un camarade d'école ou de collège, revêtu de la prestigieuse soutane, peut-être un peu blagué, mais respecté et craint.

Le confessionnalisme faisait partie de la vie. Les rites, les fêtes, les solennités rythmaient un immuable calendrier. Le sacré et le profane s'enchevêtraient. A la radio, l'évêque faisait réciter le chapelet à des milliers de familles. Toute association qui se créait sollicitait qu'on la dote d'un aumonier. Toute entreprise commerciale qui ouvrait un local organisait ostensiblement une cérémonie de bénédiction.

L'école primaire, l'enseignement secondaire, l'université étaient forcément entre les mains des clercs. Ils rédigeaient les manuels scolaires dans des perspectives apologétiques, trouvaient naturel de proposer aux écoliers des problèmes d'arithmétique de ce genre : « Marie-Louise et Pierre sont allés en pélerinage à l'oratoire Saint-Joseph. Ils ont acheté deux médailles bénites à 25 cents pièce, fait brûler quatre cierges à un dollar, deux lampions à cinquante sous, glissé 80 sous dans le tronc des âmes du Purgatoire? Combien ont-ils dépensé? »

Le pouvoir politique appuyait, privilégiait une hiérarchie dont les membres prêchaient l'obéissance aux lois civiles, le respect des bonnes mœurs et la résignation et promettaient, en échange, des récompenses dans l'au-delà. Ce zèle attirait sur le clergé de nombreuses prérogatives. Les laïcs approuvaient cette harmonieuse économie. Sauf quelques-uns qui, dans leur for intérieur, trouvaient tout cela excessif. Les courageux qui dénonçaient l'autoritarisme étaient montrés du doigt ou ostracisés. Bien d'autres trouvaient avantageux que la chose religieuse consolide ainsi leur vision de l'ordre social, fondée sur des fragments d'encycliques ou des enseignements magistraux d'un autre temps.

Églises à vendre

Partis sur une telle lancée, les Québécois n'ont guère vu, à la fin des années 40, les indices annonçant que tout cela allait changer, que cela changeait déjà. Il n'y a eu aucune remise en question brutale. Dix ans après, d'abord dans certains groupes sociaux de Montréal, puis, progressivement dans d'autres zones urbanisées de la Province, on remarquait des faits troublants : récession peu visible mais rapide de la pratique religieuse, sécularisation irréversible de la société, laïcisation spontanée de l'enseignement. A présent, les Québécois qui le veulent se marient, non plus devant leur curé, mais face à un juge de paix ; ils ne font pas baptiser leurs enfants, refusent de verser la dîme.

Dans bien des paroisses, les revenus ont tragiquement baissé. On ferme les églises, on les loue à d'autres fins, on les vend ou on les transforme certains soirs en casinos populaires en y organisant des « bingos ». Dans d'autres églises qui demeurent ouvertes, et dans les organisations où, à sa façon, chacun témoigne désormais de sa foi, les catholiques sont moins nombreux qu'autrefois mais la qualité de leur présence y est manifeste. Leur rôle dans la cité moins voyant mais plus efficace. La société cléricale s'est décléricalisée d'elle-même, adoptant un nouveau style. Les vieilles personnes ne reconnaissent plus les offices religieux, devenus réunions communautaires. Les aumôniers scolaires se font appeler animateurs de pastorale. Ils s'habillent en civil, tout comme beaucoup de prêtres (certains ont abandonné leurs fonctions avec leur soutane et comme l'ont fait aussi des religieux et religieuses, réclamé

Pour éviter la faillite, bingo tous les mercredis

leur « réduction » à l'état laïque). Mais beaucoup d'entre eux, même s'ils ont choisi la tenue de l'homme de la rue, n'en continuent pas moins leur ministère et leur action religieuse dans l'humilité, dans l'espoir que tout ce qui arrive au Québec est signe et manifestation d'un véritable renouveau de la foi.

Peu de Canadiens français se disent *protestants*. Il existe pourtant des temples où les services se font en français. L'élément anglophone se partage entre Église chrétienne réformée (elle-même divisée en innombrables sectes), catholicisme romain et judaïsme.

Il existe aussi quelques églises nationales, surtout à Montréal. On assiste actuellement à une montée des groupes charismatiques, animés principalement par des prédicateurs venant des États-Unis. Les mystiques asiatiques séduisent également des Québécois à la recherche d'une métaphysique, d'une éthique ou d'une explication du monde.

La parlure

Le sujet de conversation le plus explosif au Québec. S'abstenir d'en discuter. Oui, les Québécois ont leur façon de parler qui n'est pas du français homologué. Cela s'explique ainsi : les premiers colons ne pratiquaient pas le « parisian french », mais s'exprimaient en divers patois des provinces de l'Ouest. Les maîtres, officiers, administrateurs, prélats, usaient généralement du français de la Cour; une langue moyenne s'est formée entre ces deux extrêmes, qui, aux dires des observateurs de l'époque, avait un charme provincial et une belle saveur.

La défaite, la coupure d'avec la France, l'isolement, fixent les archaïsmes, les provincialismes. Aucun Malherbe ne vient pour purifier, en le sclérosant, un parler vivant, transmis surtout par voie orale. Des canadianismes se créent. La domination, l'environnement anglo-saxon, surtout à l'époque de l'industrialisation, apportent des influences étrangères. Des prononciations locales s'établissent (un bon phonéticien est capable de distinguer les accents de Montréal, de la Beauce, du Bas du Fleuve, des Iles-de-la-Madeleine, aussi tranchés que ceux qui distinguent un Brabançon d'un Valaisien, un Provençal d'un Lorrain).

Tout cela a donné la parlure canadienne française : longtemps, cette façon de s'exprimer a été ressentie comme « un fait de conquête qui a grevé le parler ancestral d'une pesante servitude ». L'élite mettait son honneur à s'exprimer avec correction. Elle avait honte du Québécois moyen qui utilisait « une langue appauvrie, anglicisée, phonétiquement relâchée. » Aujourd'hui, pour la nouvelle élite, cette langue, qui a reçu le nom de **« joual »** (façon vernaculaire de prononcer le mot « cheval ») est un des signes d'identification du Québécois.

Le joual

Le jeune bourgeois montréalais en voyage en France, qui autrefois aurait fait des efforts désespérés pour « bien parler », s'évertue maintenant à user, face aux Français, du patois le plus provocant, articulé de la façon la plus vulgaire possible. Les paroliers, les écrivains, les scénaristes de l'intelligentsia montréalaise se croiraient déshonorés d'exprimer leur « message » dans un français correct qu'ils connaissent pour la plupart, d'ailleurs admirablement. Quant au « monde ordinaire » du Québec, il continue à s'exprimer comme il l'a toujours fait, sans se demander si sa parlure est du « joual » ou du « français québécois », si c'est un idiome dégénéré ou une affirmation péremptoire de soi.

La langue qu'utilise le vrai Québécois est complexe. Son accent est savoureux (mais tout autant que l'accent breton ou bordelais). Ainsi, les gens de Québec ou de Chicoutimi, dont l'accent est peu marqué, se moquent de ceux de Montréal qui prononcent « garouâge » pour garage. Et de ceux de Saint-Georges-de-Beauce qui disent « hument » pour jument.

« Quelqu'un parle-t-il ici français? » demande très fort la Québécoise qui, dans un magasin de l'ouest de Montréal, entend être servie dans la langue de Malraux. La vendeuse, anglaise d'origine, mais qui pour ne pas perdre de clients s'efforce de parler français, répond : « Oui, madame, que voulez-vous? » « Avez-vous, dit la dame des patches pour patcher des coats? »

Le Canadien qui, à Paris, a claqué la portière de sa voiture en laissant la clef sur le tableau de bord, explique ainsi sa mésaventure au garagiste : « la porte de mon auto vient de se barrer *(de se verrouiller)*; oui monsieur et elle s'est barrée toute seule! »

Ces anecdotes, fictives ou non, soulignent deux réalités : la parlure canadienne française est encore encombrée de vieux mots français qui n'ont plus le même sens que dans l'Hexagone. Elle est aussi bourrée d'anglicismes.

Le Québécois, si on lui en fait le reproche, rappellera, avec un peu d'humeur, que le Français parle de footing, de week-end, de sex-shops. Il dit basket-ball et penalty quand le gars du Québec se donne la peine de dire « ballon-panier » et « lancer de punition ». On peut rétorquer en soutenant qu'il ne dit jamais « balle à la base » pour base-ball ou avis de contravention à la place de « ticket ». Ce sont-là vaines querelles sur usage et mésusage des anglicismes.

Fait plus grave : certains, très contaminés par l'anglais, introduisent en français des phrases ou des expressions du genre : « en autant que je suis concerné », « je vous introduis le patron que je travaille pour » et « mon amie de fille que je sors avec ». Notons qu' « amie de fille » est le calque sémantique de « girl-friend ».

Il vous est recommandé, francophone européen en voyage chez les Canadiens français, de ne pas tenter d'imiter leur parler. Tout d'abord, vous n'y arriverez jamais. Beaucoup de gens du Québec, doués d'une excellente oreille, parlent très facilement, outre le Québécois normal et sa variante populaire le « joual », l'américain comme un pur Yankee, un Texan ou un Californien; l'anglais comme un Londonien très snob; le français comme un Parisien de la rue de Passy; l'argot de Belleville comme un vrai truand. On peut s'y tromper. Mais lui saura très vite, malgré tous vos efforts, que vous n'êtes pas du cru. En plus, il pensera qu'on veut se moquer de lui. Il ne vous trouvera pas drôle du tout. Et pour ce qui est des « sacres » dont nous allons parler, rien n'est plus risible au Québec que l'étranger qui s'efforce de placer dans sa conversation des blasphèmes à contre-temps et avec un net défaut de prononciation. Il s'entendra dire alors : « Hey, toi, tu l'as pas! » Si vous voulez toutefois mieux comprendre les propos de vos interlocuteurs, voici une liste non exhaustive de termes fréquemment employés.

Des mots que vous entendrez

Achaler : ennuyer
Adon : coïncidence
Amour (être en) : être amoureux
Bain : baignoire
Balloune : balle
Balloune (être en) : être enceinte
Balloune (partir sur une) : s'enivrer
Baloné : mortadelle
Banc (de neige) : congère
Baptistère : extrait de baptême
Batture (*) : rivage que la marée laisse à découvert
Bazou : vieille voiture
Bébelle : chose futile
Bébite : petite bête, insecte
Bec : petit baiser
Bécosse : latrines rurales
Bicycle : bicyclette
Bicycle à gazoline : moto
Bine : haricots rouges
Bividi : caleçon long
Blonde : bonne amie
Bordée (de neige) : tempête de neige soudaine
Boucane : fumée
Bougrine : grand manteau
Boutte (être au) : n'en pouvoir plus
Branleux : indécis
Brassière : soutien-gorge
Broche : fil de fer
Brosse (prendre une) : s'enivrer
Brûlot (*) : moustique dont la piqûre brûle la peau
Brunante (*) : crépuscule du soir
Caucus : réunion de députés et militants importants d'un parti politique
Canceller : annuler
Canne : boîte de conserve

Cassé (être) : sans le sou

Canot (*) : embarcation légère appelée canoë en France

Capot : manteau d'hiver

Carrosse : voiture d'enfant

Carreauté : à carreaux

Catin : poupée (vieilli)

Cèdre (*) : thuya

Chaloupe : petite barque

Champlure : robinet

Char : automobile

Chauffer : conduire (un char)

Chaussons : chaussettes

Chayère : seau

Chesterfield : divan

Chouenneux : raconteur intarissable

Clairer : laisser libre

Claques : socques de caoutchouc

Comatique : long traîneau

Constable : policier

Coquerelle : blatte

Croche : de travers

Créature : femme

Danse : bal

Débarbouillette (*) : carré de tissu éponge dont on se sert pour se laver

Dépanneur : épicier qui, pendant les heures de fermeture des magasins, vend des produits de première nécessité

Dépareillé : original

Dîner : déjeuner

Djobe (féminin) : travail

Djobinne : petit travail

Dompe : décharge publique

Drafe : bière à pression

Draveur : ouvrier qui travaille au flottage du bois

Enfirouâper (se faire) : se faire rouler

Épinette : épicéa

Escousse : court instant

Fèves : haricots en grains

Fèves vertes : haricots verts

Fiouze : fusible

Fournaise : calorifère

Fone : plaisir

Frémilles : fourmis

Frette : froid

Gagne : gang

Galipote (courir la) : faire la noce

Garocher : lancer

Gaz : essence

Gravelle : pierre concassée

Guarnotte : pierre concassée

Guidoune : fille de joie

Haïr : se prononce « aguir » : (s'utilise surtout dans l'expression « j' taguis point », litote qui signifie « je t'aime »)

Jaquette : chemise de nuit

Jaser : bavarder

Kioute : charmant

Licence : permis de vendre des spiritueux : également plaque minéralogique pour véhicule et « carte grise »

Liqueur : boisson gazeuse sans alcool

Machine : automobile

Maganer : abîmer

Malle : courrier

Maller : confier un objet à la poste

Maringouin : gros moustique

Méné : vairon servant d'appât vif

Mitaines : mouffles d'hiver

Mitaine : temple protestant

Miteur : compteur dans un taxi

Minoucher : caresser, flatter

Ouaaron (*) : grosse grenouille

Pacter : enivrer

Patente : objet quelconque, truc astucieux

Pamphlet : brochure publicitaire

Pantoute : pas du tout

Pâpire : assez bien

Pardessus : couvre-chaussures

Pétaque : pomme de terre

Piasse : dollar

Picote (volante) : varicelle

Pinote : arachide

Pis : et puis !

Pitoune : grosse bûche

Placoter : faire des commérages

Plate : ennuyeux

Plogue : prise de courant

Plotte : fille très facile

Pogner : attraper, prendre

Pogné (être) : être aux abois

Pouce (faire du) : pratiquer l'autostop

Poudrerie : tempête de neige sèche

Poutine : sorte de pudding

Prélart : linoléum

Quétaine : de mauvais goût, kitsch

Quêteux : mendiant

Rapailler : rassembler, remettre en bon état

Raquetteur (*) : sportif qui utilise des raquettes à neige

Ratoureux : malin

Ravage : lieu boisé où se tiennent l'hiver les cervidés

Robine : alcool frelaté

Robineux : clochard porté sur la boisson

Roche : caillou

Ruine-babines : harmonica (on dit aussi « musique à bouche »)

Senteux : curieux

Smatte : charmant, chic, intelligent

Souffleuse (*) : fraise à neige qui la souffle au loin

Soupane : gruau d'avoine

Souper : dîner

Suce : tétine

Taupin : homme fort

Tabagie : boutique où l'on vend du tabac

Tannant : ennuyeux

Tchîpe : mesquin; de mauvaise qualité

Tchomme : copain

Topless : poitrine nue féminine

Touer : remorquer une voiture

Toune : petit air de musique

Toffe : dur, résistant

Tsé : contraction du « tu sais », très fréquent dans la conversation

Traversier (*) : bac, « ferry-boat »

Tuque (*) : bonnet de laine

Tuxedo : « smoking »

Valeur (c'est de) : c'est dommage !

Vidanges : ordures ménagères

Vivoir (*) : pièce de séjour, doublet francisé de « living-room »

Vlimeux : détestable

Voyage (j'ai mon) : j'en ai plein le dos

Vues (aller aux) : aller au cinéma

Waiter : garçon de café

Waitress : serveuse

Le signe (*) indique quelques mots classés « canadianisme de bon aloi » par l'Office de la langue française, organisme du Ministère des affaires culturelles du Québec. Selon les auteurs d'une liste un peu farfelu , ils seraient dignes d'entrer dans les dictionnaires français.

Les « sacres »

Ce qui caractérise aussi fortement la parlure locale, c'est la présence constante du « sacre » ou blasphème — sans aucune intention sacrilège — dans la conversation courante de nombre de Québécois.

Lorsqu'un Français moyen se donne, en bricolant, un coup de marteau sur le pouce, il pousse un solide juron dans le genre « Merde ! ». Quand le naturel du XVIe arrondissement apprend une mauvaise nouvelle, il s'écrie volontiers : « putain ! » Dans la même situation, leurs homologues du Québec profèrent quelque chose comme « Tabarnak! » ou « Kriss! » Au pays de Charlebois, on manifeste sa désapprobation, sa colère, son étonnement, en invoquant le nom sacré du Seigneur ou en citant divers objets du culte avec l'accent du cru : le tabernacle, le ciboire, le calice, l'hostie, deviennent, sur un mode fortement exclamatif, *« Tabarnak! », « Cibouère! », « Kâliss! », et « Sti! »*.Ce genre de vocable devient aussi mot-outil, propre à scander les phrases. Les insonores virgules, points-virgules, points à la ligne, points d'exclamation et autres signes de ponctuation sont ainsi figurés dans le langage oral par des séries de *« Sakraman! », « Calvaère! », « Bataîme! »*. Le mot qui revient le plus est peut-être *« Maudit! »* qui, très souvent à cause de la consonne « d » fortement affriquée, s'entend à peu près comme *« maudzi! »*. Ces interjections dispersées dans le discours, qui servent à exprimer divers élans de l'âme, dérivent parfois en verbes à tout dire.

Ainsi : « Kriss! » a donné naissance à *« krisser »*, « Kâliss! » à *« kâlisser »* avec des variantes comme *« contrekrisser »* ou *« contrekâlisser »*. D'autres verbes défectifs ont été tirés de « maudit » ou de « sacre », tous avec plus ou moins l'acception de ficher : *« Sacre ton camp! »* pour « fiche le camp ».

Le sacre a été longtemps réservé aux hommes. A l'adolescence il a, comme l'usage de la cigarette, valeur de signe de passage dans la communauté des adultes. Aujourd'hui, de jeunes femmes adoptent cette particularité langagière. A noter que les gens distingués travestissent ces mots d'appui. Les variantes supplétives sont par exemple : *« Câline! », « Batéche! », « Tabarouette! », « Tabarnouche! », « Kristal! »* et autres formes décentes.

Mais le vrai sacreur ne s'embarrasse pas de ces innocents paronymes. Il préfère, en des avalanches verbales, enchaîner les sacres en des litanies du genre : *« Maudzisaintcibouèredekâlissdetabarnak-d'osti! »*, qui font le charme de bien des conversations de taverne.

Ceux qui écrivent

L'œuvre littéraire canadienne française la mieux connue a longtemps été le roman « Maria Chapdelaine ». Son auteur, le Français Louis Hémon l'a écrite pendant un séjour de moins de quatre ans au Canada, où il est mort en juillet 1913, dans le nord de l'Ontario, heurté par une locomotive du Canadien Pacifique. Bien avant lui d'autres Français ont écrit, voyageurs, missionnaires, colons qui ont raconté la Nouvelle France, livres peu répandus puisqu'il faut se souvenir que la première imprimerie n'a fonctionné au Québec qu'après 1764.

Le premier roman vraiment canadien français a paru en 1837 : « L'influence d'un livre » de P.A. de Gaspé, curieux récit tissé d'aventures rocambolesques et de magie noire. Puis, vient le temps des historiens, tel François-Xavier Garneau (sa première et magistrale Histoire du Canada date de 1845) et des versificateurs, comme Octave Crémazie et Louis Fréchette, romantiques attardés.

Il est bon de rappeler que le premier navire français qui se soit amarré à Québec, après la défaite des Plaines d'Abraham, n'est venu qu'en 1855. Selon la tradition, ses cales contenaient, entre autres, des caisses de livres édités à Paris. Ainsi les Canadiens français en quête de lectures, qui en étaient restés à Corneille, Fénelon et Bossuet, qui n'avaient pu, parce qu'ils étaient à l'index, lire Fontenelle, Montesquieu, Voltaire, Rousseau et les Encyclopédistes, coupés de Chateaubriand, Mme de Staël, Benjamin Constant, Lamartine, Hugo, Vigny, Musset, les découvraient brusquement alors que déjà Flaubert et Maupassant perçaient sous Balzac et Stendhal, tandis que le Parnasse appelait le Symbolisme.

L'anecdote de la frégate française — elle s'appelait *La Capricieuse* — interdit à jamais de comparer littérature canadienne française et « française de France ». Il faut ajouter à ce hiatus de l'Histoire, les réalités géographiques et sociales. La prolifération des ouvrages historiques au XIXe s. est la marque d'un peuple à la recherche de ses racines; la tardive apparition du roman s'explique parce que c'était un genre suspect aux yeux du clergé qui ne laissait éditer qu'une littérature agriculturaliste, messianique, patriote et pieusarde. Il fallait être moralisateur ou ne rien publier.

Poètes et littérateurs francophones tournés vers les modèles français s'efforcent de devenir les Victor Hugo, Verlaine, Louis Veuillot ou Léon Bloy du Québec. Sinon, ils se cantonnent aux thèmes de la vie rurale, de la solitude, des petites collectivités urbaines, de la misère.

Après 1940, coupée de la France pendant quatre ans, la littérature du Canada français se diversifie, cherche et trouve son propre souffle. Toute une génération de créateurs s'impose. Les poètes sont les plus hardis qui, dans un langage neuf, expriment ce Québec qui leur fait mal.

1960, année tournante, voit les créateurs des lettres chercher avant tout à traduire des réalités québécoises.

Retentit alors la voix d'un nouveau type de poètes;

elle porte à travers le monde. On les appelle ici les **« chansonniers »,** ils expriment dans des complaintes, à la manière des bardes, les cris de la conscience collective, la chronique quotidienne du peuple, ses révoltes, ses espoirs. La télévision, la radio, le disque multiplient leur présence. Le Québec détient un record mondial pour la production de musique enregistrée, compte tenu de son nombre d'habitants. Ces chansonniers chantent eux-mêmes leurs œuvres, parfois les confient à des interprètes; c'est alors une *Pauline Julien,* une *Louise Forestier* ou une *Renée Claude* qui chantent les vers de *Gilles Vigneault,* de *Raymond Levesque,* de *Georges Dor* ou du plus ancien des chansonniers, *Félix Leclerc.* A cet art se rattachent deux autres genres très vivaces : les *« groupes »* formés de musiciens-chanteurs et les *raconteurs solistes,* auteurs de monologues simples et percutants. Ils s'appellent *Clémence Desrochers, Sol* ou *Yvon Deschamps.* Tous ont le même dessein : rendre sensible l'âme du Québec.

Théâtre et peinture

Dans les autres arts, on retrouve la même évolution. Le **théâtre,** joué dès les premiers temps de la colonie, a été vite soumis aux contraintes des autorités religieuses. Depuis la fin de l'autre siècle, Paris impose ses modes, envoie ses troupes en tournée au Canada. Sarah Bernard, puis d'autres gloires françaises triomphent à Montréal. On reprend aussi tous les succès de la scène française, joués par les artistes du Québec, encadrés de comédiens français installés dans la province. Ce n'est que vers 1950 que s'imposent à Montréal des troupes composées d'acteurs professionnels canadiens français.

Au début, on choisit les classiques, surtout Molière; et aussi des pièces de boulevard dont on doit couper certaines situations, scènes, répliques contraires à une morale augustinienne imposée par la hiérarchie catholique (toutes les salles de théâtre sont pratiquement aux mains du clergé). Ainsi « Huis-Clos » de Sartre, présenté à la salle du Gesu, sans que les autorités religieuses n'y prennent garde, est retiré de l'affiche dès la seconde représentation. Des écrivains canadiens commencent à écrire pour le théâtre. Un répertoire national se forme, très lentement, car les auteurs de pièces sont vite sollicités par la télévision. Leur succède, depuis une quinzaine d'années, une nouvelle vague inspirée par Brecht et Beckett, qui rompt avec toutes les traditions. Elle veut surtout, dans la langue d'un nouveau public qui n'est plus celui de la bourgeoisie, refléter de nouvelles façons de vivre, de lutter et souvent de désespérer. Avec

Michel Tremblay, qui écrit ses pièces dans la langue de l'Est de Montréal, s'est installée la vogue du théâtre de la dérision que l'on offre, comme un miroir, aux spectateurs.

Dans les **arts plastiques,** le tournant a été pris très tôt. Jusqu'à la fin de la dernière guerre, la plupart des artistes, fidèles aux modèles européens, peignent sagement des portraits, natures mortes, paysages et scènes de genre, empruntant parfois leur manière aux Impressionnistes ou aux Fauves. En 1942, *Paul-Émile Borduas,* déjà, a adopté une façon de peindre dictée par l'automatisme, comme l'a fait dans le même temps, sous le nom d'« *action painting* », l'Américain Jackson Pollock. Borduas lance aussi en 1948 un manifeste collectif violent, autant politique qu'esthétique : « *Refus global* », qui va influencer la vie culturelle du Québec et du Canada et conduire à un fructueux déblocage. Ainsi *Pellan,* sublime surréaliste qui retraduit le monde en mille couleurs. Ainsi les *Plasticiens,* chef de file : *Molinari* à la recherche de constructions spatiales dynamiques. Ainsi *Riopelle,* élève de Borduas, jonglant techniquement avec la matière et la couleur. Depuis, cette explosion de liberté n'a pas cessé de remuer le monde de la peinture, de la sculpture, des arts de la murale, de la décoration, où se poursuivent les expériences les plus variées. Les artistes mêlent leurs préoccupations socio-économiques à leur création esthétique, comme *Edmund Alleyn,* auteur d'une suite québécoise et représentant de la Nouvelle Figuration.

La **musique** au Québec a été revivifiée ces dernières années par les recherches que font de jeunes compositeurs, francs-tireurs de la musique contemporaine. Dans le domaine de l'interprétation, la province canadienne française continue à se distinguer par la qualité de ses grandes voix. Ces ténors, basses et sopranos, sont difficiles à écouter à Montréal ; ils sont constamment demandés par les théâtres lyriques du monde entier.

Un cinéma nouveau

Le **cinéma** québécois, tout jeune, commence à conquérir le monde. Seuls quelques spécialistes connaissent sa première période « mélo » d'avant 1950. Quelques titres parlent d'eux-mêmes : « Aurore, l'enfant martyre », « Le rossignol et les cloches », « Un homme et son péché ». 1960 marque encore un important tournant. A l'époque, de jeunes cinéastes, employés par l'Office national du film (organisme fédéral implanté à Montréal, vaste usine cinématographique où se créaient des documentaires) ou

Le cinéaste Gilles Carle

formés par la télévision, adoptent presque tous un style fondé sur l'emploi de matériel léger : le « cinéma-vérité ». Un trio célèbre s'impose, fait des adeptes : le cinéaste canadien *Jutra*, l'ethnologue français *Jean Rouch* et un troisième canadien français, *Michel Brault,* grand spécialiste de « la caméra à la main », père du cinéma direct. La plupart des films visent alors à montrer la réalité québécoise, à enquêter sur le réel. On montre, on fait agir, on fait parler les pêcheurs, les mineurs, les bûcherons, les Indiens, les tisserands, l'homme de la rue, la femme au foyer. Les œuvres de fiction aussi reflètent des réalités sociologiques, le romanesque devant se plier au besoin qu'éprouvent les cinéastes à capter l'authentique. Les productions sont passées par plusieurs phases : dans la première, née de la rapide libéralisation, on montre ce qui avait toujours été caché : la nudité de la Québécoise et ses jeux érotiques. Ensuite, est explorée la veine comique. Elle fait vite place à des œuvres contestataires qui dénoncent implacablement les vices de la société post-industrielle, les méfaits du pouvoir bourgeois. Cinéma d'auteurs qui entendent ignorer les impératifs de la distribution et le goût du grand public pour des œuvres plus légères.

Pour ce qui est de cette nourriture facile, elle est amplement servie par les productions américaines, versions originales ou post-synchronisées que présentent surtout les cinémas propriétés d'entreprises anglo-saxonnes.

Des anglophones du Québec se sont fait une réputation dans le cinéma : citons *Norman Mc Laren,* inventeur du cinéma sans caméra (une de ses géniales trouvailles : dessiner directement sur pellicule chaque image de ses dessins animés et tracer en marge, à l'encre de chine, le profil de la bande sonore). Citons aussi *Francis Menkiewicz,* auteur du film « Le temps d'une chasse ».

Des créateurs à connaître (d'autres noms)

Littérature d'autrefois
- *Angélique Montbrun,* Laure Conan
- *Les engagés du grand Portage,* L.P. Desrosiers
- *Les anciens Canadiens,* Ph. A. de Gaspé
- *Le Survenant,* Germaine Guèvremont
- *Les demi-civilisés,* J. Ch. Harvey
- *Trente arpents,* Ringuet
- *Les Habits rouges,* R. de Roquebrune
- *Bonheur d'occasion,* Gabrielle Roy (Fémina 1945)

Littérature d'aujourd'hui
- *Prochain épisode,* Hubert Aquin
- *Le Libraire,* G. Bessette
- *Une saison dans la vie d'Emmanuelle,* M. C. Blais -
- *L'avallée des avallés,* R. Ducharme
- *Salut Galarneau,* Jacques Godbout
- *Poussière sur la ville,* J. Langevin
- *Au pied de la pente douce,* Roger Lémelin
- *Le Cassé,* Jacques Renaud
- *Menaud, maître-draveur,* F.A. Savard

Lire aussi des essayistes, conteurs, sociologues : Fernand Dumont, Jean Lemoyne, Fernand Ouellette.

Dans le domaine anglais, il faut connaître : MacLennan, Mordecaï Richtler et Stephen Leacock, l'étonnant Alphonse Allais de Montréal.

Des poètes (pour l'ensemble de leurs œuvres) : Alain Grandbois, Saint-Denys Garneau, Émile Nelligan, Gaston Miron, Alfred Desrochers, J.-R. Major, Jacques Brault, Rina Lasnier, Nicole Brossard, Yves Préfontaine.

Des dramaturges :
Marcel Dubé *(Zone)*, Michel Tremblay *(Les Belles-sœurs)*, Antonine Maillet *(La Sagouine)*.

Des cinéastes :
D. Arcand *(Réjane Padovani)*, Michel Brault *(Les Ordres)*, Gilles Carle *(La Mort d'un bûcheron)*, Cl. Jutra *(Mon oncle Antoine)*, J.-P. Lefèvre *(Les dernières fiançailles)*, J.-C. Lord *(Bingo)*.

L'Homme québécois

Qu'est-il finalement ce Québécois moyen ? Peut-on l'expliquer par l'Histoire ? C'est un homme de souche française, généralement normande ou poitevine, à la limite de l'oc et de l'oïl, du droit coutumier et de la juridiction latine, qui a gardé, en tout cas, le sens du discours et de la plaidoirie. Ses aïeux, abandonnés par la France sur les bords du Saint-Laurent, soumis à l'occupant anglo-saxon, entraînés dans la mouvance nord-américaine, en ont tiré, comme lui, de nouvelles façons d'être : sens pratique, pragmatisme et une certaine réserve, que l'Européen prend pour de la timidité ou une sorte de complexe d'infériorité.

La géographie offre d'autres hypothèses : c'est l'homme d'un vaste pays. L'hiver, très long et très froid, lui a donné à la fois le besoin de se replier sur lui-même et aussi de se déplacer et de savoir attendre; la brutale chaleur du court été, la soif d'être actif, de vivre pleinement.

On peut définir le Québécois par ses contradictions : hospitalité très ouverte et méfiance envers l'étranger (surtout celui qui arrive de France; nous sommes, disait le premier ministre Duplessis, des « Français améliorés »). Il est à la fois fier et résigné, retenu et familier. Il donne du monsieur à l'inconnu, mais vite le tutoie. Il est soumis, mais a le goût de l'indiscipline. Il est prodigue et prévoyant, laisse aux investisseurs, d'ailleurs, le soin de risquer des capitaux dans ses affaires, préférant acquérir des valeurs sûres à revenu limité; mais il risquera soudain ses économies dans les loteries, les paris, les jeux d'argent, sans doute parce que sa foi ancienne le porte à croire au miracle. On lui a d'ailleurs répété : sa seule survivance en Amérique du Nord est, en soi, un phénomène miraculeux.

Lui-même a le sentiment d'être avant tout un colonisé, mais qui vit dorénavant dans une colonie qui cherche à se décoloniser, dans un capitalisme qui veut se décapitaliser. Il appelle « Révolution tranquille » la grande mutation de son histoire, faite par les classes moyennes et à leur profit. Il attend la seconde mutation ; il espère qu'il en profitera mieux.

Il y a aussi la Québécoise qui s'est aperçue très récemment qu'elle était encore plus aliénée que ses contemporains. Celles qui ont aujourd'hui plus de cinquante ans ont été longuement gardées à la maison, peu à l'école. On insistait pour qu'elles fussent surtout « ménagères », mères de famille nombreuse, compagnes silencieuses. En 1956, au Québec, 7 % des femmes mariées faisaient partie de la population active du Québec, contre 11 % pour l'ensemble du Canada, 15,5 % pour la France et 26,6 % pour les États-Unis (en 1936, un député avait tenté de faire passer une loi visant à interdire tout emploi aux Québécoises, autre que ceux de fermière, cuisinière ou domestique).

Aujourd'hui, la Québécoise travaille, mais son salaire est, dans tous les cas, inférieur à celui des hommes dans la même catégorie. Jusqu'en 1964, les femmes mariées étaient « mortes » du point de vue civil, ne pouvant acquérir des biens, en disposer, recevoir une donation, une succession, se lancer dans le commerce, posséder un compte en banque, se défendre en justice, intenter une action judiciaire. Les lois ont été modifiées, mais les préventions demeurent ; il est peu facile, pour une citoyenne du Québec mariée, de mener à la fois une vie de travail tout en ayant un foyer : absence de garderies, allocations familiales infimes, salaires moindres. Résultat : la Canadienne française oublie de se marier ; si elle l'est, renonce facilement aux enfants. L'ère de la pilule lui permet enfin une sexualité sans angoisse, sans remords. Qu'on ne lui parle plus jamais de Maria Chapdelaine. Seul l'avenir du Québec la préoccupe.

De l'usage du Québec

Les hôtels

Si vous n'êtes pas familier avec l'Amérique du Nord, il faut savoir que les mots hôtel et restaurant ne recouvrent pas les mêmes réalités qu'en Europe.

L'hôtel au Canada et au Québec, cela peut être l'établissement de grande classe, moderne et luxueux, relativement moins cher qu'à Paris, Bruxelles ou Genève (exemple, le *Château-Champlain* à Montréal). Nombreux étages (à cause de la superstition, jamais de treizième) ; chambres spacieuses avec T.V. en couleur, plus salle de bains, restaurants, bars, salles pour les réunions d'hommes d'affaires et les congrès. C'est aussi l'hôtel de très haute tenue, tel le *Ritz-Carlton* à Montréal. Hôtel veut dire aussi, dans des bourgs ruraux, un endroit où l'on peut loger sans trouver de grandes commodités, sauf un bar très bruyant en fin de semaine. En général, il n'existe pas d'hôtels moyens. Sont extrêmement rares ceux qui, hors des villégiatures, proposent la pension complète : chambre, petit déjeuner et deux repas. Le système le plus répandu, à cause de la pénurie de personnel hôtelier, c'est le *motel*. On entre dans le bureau à toute heure du jour et de la nuit : un seul employé. Il fait payer d'avance, vous donne une clef. C'est à vous de trouver votre chambre climatisée, de garer votre auto, de transporter vos bagages. Vous trouvez dans la chambre tout ce qui vous faut, de la télévision en couleur aux savonnettes ; parfois, une petite cuisine avec café et lait en poudre, jus d'orange déshydraté, qui permet de préparer un petit déjeuner sommaire. Il suffit de vider les lieux avant l'heure indiquée du « check-out ».

Hors du genre hôtel de bonne tenue, du motel, il n'y a que des « *maisons de chambres* », petites pensions pittoresques, qui assurent un heureux sommeil et éventuellement un « breakfast ». On ne trouve pas facilement de gîtes économiques, sauf quelques *Y.M.C.A.* et *auberges de jeunesse*.

77

Dans le vieux Québec, la cuisine d'antan

Formule nouvelle en toutes saisons : « l'*hébergement à la ferme* », organisée par le Ministère de l'agriculture et l'Union des producteurs agricoles ; pension complète $ 80 à $ 90 par semaine. Une journée : $ 8 à $ 10 (tél. à Québec : 643.669 ; à Montréal : 813.4142).

Les restaurants

Ne vous attendez pas à faire de sublimes découvertes culinaires. Le mot gastronomie n'a pas cours ici. Mais on mange bien.

Le mot restaurant a des significations variées.

Il y a par exemple le *restaurant* de style très *britannique,* par son décor, son argenterie et hélas ! sa cuisine. Le *restaurant à l'américaine :* disposition standard des tables, service stéréotypé, menu imprimé, mille fois répété partout. Le *restaurant de type français* marque son genre par des nappes à carreaux, bougies fichées dans des goulots de bouteilles dégoulinantes de stéarine figée; menu manuscrit, copieux, abondance de plats flambés; présence de la soupe à l'oignon gratinée, des escargots à l'ail et des cuisses de grenouilles.

Le restaurant peut aussi adopter le genre exotique : *italien* avec les spaghetti, la pizza (on la sert à toutes les sauces : champignons, saucisses, jambon, crevettes et « all dressed », c'est-à-dire avec tout); *israélite :* le « smoke-meat » et la quenelle type polonais; *chinois :* les « egg-roll » (beignets de verdure et sauce sucrée), le « chop suey » (fricassée de soja germé), les « spare-ribs » (portions de côtes de porc cuites dans l'ail et la mélasse), des soupes et des desserts; et aussi *grec* ou *pakistanais.*

Pour le nouveau venu, de nombreuses expériences originales : la *taverne* qui offre une bonne mesure de bière fraîche et la tranche de rôti; la *brasserie* qui propose d'excellents et classiques mets canadiens; le somptueux *buffet* à bon prix; le bon « *steak-house* » où l'on se régale de grillades à point; le *restaurant de fruits de mer,* connu par la qualité de ses homards, huîtres, poissons du Québec toujours frais et bien présentés; le « *delicatessen* » ouvert jusqu'à l'aube, spécialisé dans le sompteux « smoke-meat » (poitrine de bœuf confite au sel et servie en tranches fines sur pain de seigle moutardé) et la salade de fruits frais; la *maison du poulet* qui les présente soigneusement rôtis ou à la mode Kentucky. La formule estivale, c'est les « *curb-service* » où les clients sont servis dans leur voiture par de jeunes personnes habillées très court (les tableaux électroniques les remplacent parfois dans les terrains de stationnement). Le restaurant moyen éclectique vous proposera un menu sur lequel toutes ces spécialités se rencontrent. De grands classiques locaux s'ajoutent à ces plats : l'entrecôte cuite sur le grill; précisez si vous la voulez « rare » (bleu) « medium » (peu cuit), « well done » (très très cuit). Toujours sur ce genre de carte : le poulet « Bar-B-Q », servi avec frites, le « hamburger » et le « hot-dog », la côte de porc, le « sandwich club » (pain grillé, laitue, tranches de tomates et blanc de dinde ou de poulet), la tranche de jambon grillée surmontée d'une rondelle d'ananas. Pour les entrées, le plat chic est le coquetel de crevettes baignant dans un coulis de tomates épicées. Le mets bon marché : le céleri en branches accompagné d'olives vertes.

Il est très difficile de donner des noms et des adresses. Cela tient à une caractéristique très nord-américaine. Tel établissement aujourd'hui excellent, dont la réputation a été très soigneusement établie par une équipe : propriétaire; chef des cuisines;

maître d'hôtel; barman; serveurs; peut, du jour au lendemain, être vendu avec son enseigne à un quelconque margoulin qui y met le prix et en utilise sans vergogne le prestige.

Seuls quelques établissements sont recommandables. Ils sont peu nombreux. Le meilleur moyen de bien les citer tous serait de n'en citer aucun. Il est bon d'avoir de véritables amis qui vous signalent les bonnes adresses. Des guides du type Michelin rouge n'ont pu être établis au Canada. Personne n'ose s'y risquer.

Le *Ministère québécois du tourisme, chasse et pêche,* qui tente de décerner des étoiles ou des fourchettes aux restaurants peut, au moins, publier les listes d'hôtels classés selon des critères normatifs. Il met également à la disposition des touristes de longues listes de stations de ski, parcs, terrains de golf, ports de plaisance, pistes de motoneige, de raquette ou de ski de fond, pourvoyeurs de chasse et de pêche, terrains de camping, sous tente ou en roulette « camper » (notez qu'il est très difficile de trouver à louer de tels véhicules), itinéraires de promenade, de canotage, de cyclo-tourisme. Dans chaque ville, les *syndicats d'initiative* proposent une documentation bien faite sur tous les plaisirs touristiques offerts.

La cuisine canadienne

La vraie cuisine canadienne, rarement servie, sauf dans quelques établissements spécialisés, est une cuisine riche et fruste, créée autrefois pour des paysans sans grands moyens qui, travaillant en plein air, avaient besoin de nourritures très solides.

Vous goûterez ces plats dans leur version originale chez vos amis québécois. A vous la délicieuse crevette de Matane, le foie de morue, le canard du lac de Brôme, les « cretons » (version locale de la rillette française), la tourtière (pâté rond à base de viande de porc), la soupe aux gourganes (légumineuse surtout cultivée dans la région de Charlevoix et du lac Saint-Jean), le « cipaye » ou « six-pâtes » (pâté à base de viandes diverses), la « crosses de violon » (fougères naines), la gibelotte de Sorel (salmis de canard, de divers poissons blancs et de pommes de terre, mitonné dans de la crème), le ragoût de boulettes (bœuf et porc en sauce), le pâté chinois (hachis parmentier dans lequel la pomme de terre s'ajoute au maïs en grains), la tête fromagée (fromage de tête).

Ajoutez à cela de nombreux desserts : beignets (appelés beignes), pâtisseries à base de pain, de cassonade, d'épices, de lait. Les tartes (couvertes de pâte, comme le « pie » anglais) aux fruits frais, au sucre d'érable. Le roi des desserts, c'est, en septembre, une assiettée de « bleuets » (myrtilles) arrosés de crème fraîche. Essayez quand même ces plats dans les restaurants qui les proposent. Commandez aussi, en saison, le saumon frais et poché ou le saumon fumé, les poissons locaux, surtout le doré, servi aux amandes. Les huîtres viennent de la province maritime voisine. Elles sont grosses et grasses et plus appréciables lorsqu'elles sont cuites, à la friture, en sauce ou encore apportant leur fumet inédit à une soupe crémeuse.

Ne vous étonnez pas de ne jamais voir sur le menu la gigue de chevreuil, la noisette d'orignal, le pâté de castor, le salmis de bécasse, le gigot d'ours. On ne voit pas non plus de truites de ruisseau (sauf celles importées et congelées). La loi, pour éviter tout braconnage, interdit aux restaurateurs de servir gibier et poissons sauvages. Là encore, il faut avoir des amis pêcheurs et chasseurs pour pouvoir déguster ces produits très canadiens.

Fromages et épices

Il existe quelques fromages locaux : le *cheddar,* version canadienne de son homonyme anglais, des imitations de roquefort, de camembert, de gruyère, tous très industriels ; l'introuvable fromage de l'île d'Orléans est plus franc. Autrefois, l'*Oka* (fabriqué par les Trappistes près de Montréal) avait un charme odorant ; celui que des manufacturiers fabriquent maintenant sous le même nom, à mi-chemin entre Port-Salut et Beal Paese, garde au moins un certain piquant. Demeurez cependant convaincus qu'au Québec, depuis longtemps, on a perdu le contact avec la tradition française. Elle a été adaptée aux circonstances et fortement contaminée par les influences anglo-saxonnes. C'est pourquoi on trouve sur les tables, outre le sel et le poivre très rassurants, des *condiments* qui peuvent surprendre le Français : des moutardes bizarres, du raifort, du « ketchup » (purée de tomates fort assaisonnée), qu'on verse généreusement sur l'omelette, la tourtière, les frites, la viande, les huîtres et d'autres mets ; on voit aussi des sauces anglaises pour les grillades, la gelée de menthe pour les côtelettes ou le gigot de mouton, la confiture d'atocas (airelles) pour les viandes blanches, les cornichons sucrés, la mayonnaise au sucre, le « cole-slaw » (salade de choux aromatisée et douce), la crème sûre. Vous verrez également destinée à la salade une épaisse vinaigrette au sirop, de couleur rose, appelée « french dressing », la « relish » (purée végétale verdâtre très épicée) qui accompagne, avec des rondelles d'oignons crus, le traditionnel « hot-dog », le vinaigre blanc pour les frites, le sirop de maïs pour les gaufres et les crêpes, l'extrait de piment pour les fruits de mer. Tout cela vient d'une Angleterre où les mets mal cuits ont si peu de goût qu'il faut les renforcer par des condiments doux-amers.

Le petit déjeuner

Ce qu'il y a finalement de mieux dans la cuisine canadienne, c'est le petit déjeuner. Même le restaurant le moins recommandable sert d'admirables toasts (on les appelle au Canada français des rôties), des œufs sur le plat (au miroir), brouillés, à la coque, garnis de bacon croustillant, de petites saucisses, de jambon fumé. On sert aussi des crêpes au sirop d'érable et du « pain français » (sorte de pain perdu caramélisé et poêlé dans du jaune d'œufs). Le café est ce qu'il est mais, adouci de crème, il constitue au même titre que le thé la boisson reconstituante de ce premier repas.

Certains grands hôtels de Montréal servent même le samedi et le dimanche matin le « brunch », ce « breakfast lunch » qui permet, s'étant levé tard, d'attendre le repas du soir. Et n'oubliez pas qu'ici, on dîne à midi et qu'on soupe le soir.

A toute heure aussi on peut se faire servir un « snack » dans un restaurant ou une pharmacie. Lorsqu'on commande cette sorte de repas, c'est dans un établissement qui ne possède pas de « licence » (permis de servir bière ou spiritueux). On vous apporte d'office le verre d'eau glacée en même temps que le couvert et la nappe de papier. En vous proposant un dessert (choisissez la crème glacée, toujours excellente), la serveuse vous demandera : « Quel breuvage ? » C'est une invitation à choisir entre l'orangeade, le coca-cola, la limonade sucrée, la tasse de thé ou de café.

Les boissons

Ce qu'on boit d'autre au Québec ? Du lait. Il n'est pas rare de voir un dîneur terminer son repas par un verre de lait glacé. Longtemps, la Province, grande productrice laitière, a fait de la propagande auprès des jeunes et moins jeunes afin de les inciter à d'excessifs régimes lactés.

Depuis une quinzaine d'années, le vin, d'abord servi en modestes carafons, puis en bouteilles, a fait son apparition sur les tables des restaurants dotés du permis de vente d'alcools; on en consomme peu parce qu'il est cher (le double du prix de la S.A.Q.).

Le vin canadien produit dans le sud de l'Ontario est sucré et étonne par son goût de jus de raisins alcoolisé. Depuis peu, au Québec, les industriels fabriquent des « vins » de table à partir de moûts importés. On peut les essayer.

Au chapitre des *apéritifs,* le scotch et le gin, longtemps les rois incontestés du bar, font place à des boissons internationales. Le rye, whisky national, garde ses adeptes, ainsi que dans les établissements très anglo-saxons, le sherry et les cocktails classiques ou spécifiquement nord-américains : entre autres le « Bloody-Mary », jus de tomates épicé relevé de gin ou de vodka, ou le rhum et coca-cola. Dans la gamme des *digestifs,* le cognac (longtemps considéré comme un médicament) occupe une très bonne place. Aux dames, on propose, c'est classique après les bons repas, la crème de menthe frappée. Il vient d'apparaître sur le marché une liqueur alcoolisée à base de sirop d'érable. Dans le style vraiment local, le « boire » longtemps préféré du « Canayen » a été le « petit whisky blanc », alcool de grains assez sec. C'est la base d'un apéritif traditionnel, le « caribou ». La gnole est mélangée avec du vin de l'Ontario très fruité et le tout est bu glacé. Qui n'a pas l'habitude du « caribou », séduit par sa fraîcheur, son goût très neuf, l'alliance du doux et du fort, tenté d'en boire plusieurs petits verres, est vite guetté par l'hébétude.

Les anciens Canadiens français fabriquaient aussi chez eux des liquides fermentés à base de végétaux : vins de gadelle, de « bleuets » ou de pissenlits, bière d'épinette (faite à partir d'une infusion d'aiguilles d'épicéa). Quelques restaurants, tel l'*Auberge du vieux Saint-Gabriel* à Montréal servent encore ces liquides rares. Il n'existe pas vraiment de sources thermales au Québec. Les *eaux minérales* d'importation ne se trouvent pas partout.

Pour ne pas se tromper, on peut se rabattre sur ce qui se fait de mieux ici : la bière. Forte, peu amère, même un peu sucrée, épaisse, pas trop mousseuse, elle flatte le palais et réchauffe l'estomac. Parce que les Canadiens voyagent de plus en plus et rapportent de l'étranger de nouvelles habitudes, on fabrique pour eux des bières de type anglais, danois ou germanique. On importe aussi des marques étrangères.

A Montréal, la taverne la plus extraordinaire est sans contredit « *Le Gobelet* » 8405, rue Saint-Laurent, au nord de la ville. L'établissement est vaste : autour de la grande salle, c'est plein de recoins, de terrasses, de petits salons. On peut s'y délasser l'été en plein air et, à la saison froide, autour des grands foyers de pierre dans lesquels brûlent des feux de bois. Faites plaisir au patron, *Bernard Janelle,* demandez-lui de vous faire voir sa collection de peintures et d'objets anciens du Canada. Cette brasserie est aussi un restaurant où l'on sert des mets canadiens. Les dames sont admises.

Ce qu'on trouve difficilement dans les tavernes et restaurants, c'est la boisson qui pourrait être la gloire du Québec : *le cidre.* Pays de pommiers où vivent des descendants de paysans de l'Ouest de la France, la Belle Province produit peu de cidre. Des fermiers en ont fabriqué autrefois pour la consommation familiale, mais le puissant trust des brasseries a fait en sorte qu'on en interdise la commercialisation. On en trouvait, à condition de le transporter en contrebande, dans certains couvents et chez des pommiculteurs avisés. Une loi a récemment légalisé la fabrication et la vente du cidre. Des produits sont apparus sur le marché, de très bonne qualité, mais aucune campagne sérieuse de « marketing » n'a pu encore les imposer. Et l'habitude de la bière est si ancrée et la puissance de ses industriels telle, qu'il est difficile de boire au restaurant ou au bar la rafraîchissante bolée.

Recettes anciennes du Québec

Voici quelques recettes anciennes du Québec données par les grands chefs des hôtelleries qui sont, sous l'égide du Ministère du tourisme, ouvertes dans les parcs provinciaux. *Notez que :* 1 lb = 1 livre = 455 g. Une cuillerée à thé pour le café, la farine = 3 g. Pour le sucre, beurre, eau, lait = 9 g. Une cuillerée à soupe pour le café, la farine = 9 g. Pour le sucre, beurre, eau, lait = 15 g. Dans la même proportion, une tasse équivaut à 8 onces = 232 g. Une pinte = 40 onces liquides = 2 chopines = 1,14 l. 1 demiard = une demi-chopine. 1 gallon = 4 pintes = 4,55 l.

Pièce de tourtière ou « tourquière » (région de Québec)

1 1/2 lb de lard maigre haché (épaule), 2 oignons hachés, 1 cuillerée à thé de sel et poivre au goût, 1 hachis blanc (2 tasses de pain émietté dans du lait chaud) ou une tasse de pommes de terre en purée, une demi-tasse d'eau.
Mélanger le tout et cuire pendant 20 à 25 mn. Laisser refroidir et mettre dans une abaisse de pâte brisée, en procédant comme pour les tartes. Cuire pendant 30 à 40 mn dans un four très chaud.
Une des plus anciennes recettes de la cuisine québécoise. Elle vient de France. On préparait des pièces de tourtière dès le début de la colonie. Contrairement à la croyance populaire, il n'était pas nécessaire d'utiliser des tourtes (pigeons sauvages) pour faire ce plat. Le mot « tourtière » désigne l'ustensile employé pour faire des tourtes (tartes) à la viande.

Cretons des Ursulines de Québec

3 lb de porc frais, 2 oignons, cannelle, clou de girofle, sel.
Incorporer les oignons émincés au lard haché. Faire cuire le
même poids d'eau que la viande; ajouter une cuillerée à
soupe de sel et laisser cuire pendant 1 h 30, jusqu'à ce que la
graisse monte à la surface. Ajouter une cuillerée à thé de
cannelle et un clou de girofle râpé. Retirer du feu et verser
dans des bols. Ne servir que très froid.

Soupe à l'ivrogne (soupe au pain)

3 à 4 tranches de pain rassis, 1/4 de saindoux, 5 oignons,
1 pinte d'eau, 1 cuillerée à soupe d'herbes salées (persil,
cerfeuil, ciboulette, etc.).
Couper en petits morceaux le pain et mettre dans un chaudron avec le saindoux et les oignons émincés fins. Laisser
fondre le tout 10 mn. Ajouter les herbes salées, le poivre et
une pinte d'eau. Laisser bouillir lentement durant 1 h.

Tarte des nonettes (origine normande)

Cannelle, muscade, clou de girofle, pommes, mélasse, lard
salé. Foncer un moule à tarte de pâte brisée. Tapisser le
fond avec de fines tranches de lard salé et recouvrir de
pommes pelées et tranchées. Ajouter sur le tout de la
mélasse, un peu de cannelle, du clou de girofle et de la
muscade.
Pour une pinte et demie de pommes, mettre une chopine de
mélasse. Recouvrir de pâte et cuire pendant 1 h 30 dans un
four chaud.
Cette recette normande a été apportée au Canada dès le
début de la Colonie par les Ursulines de Québec.

Talmousse (Ursulines de Québec)

Pommes (une par personne), sucre d'érable moulu, pâte à
tarte (pâte brisée).
Enlever la pelure et le cœur des pommes. Abaisser la pâte et
la couper en rectangles assez grands pour replier les extré-
mités, saupoudrer de sucre d'érable, puis ramener les quatre
coins au centre. Cuire sur une tôle au four chaud. La tal-
mousse est le dessert traditionnel des jours de vêture chez
les Ursulines de Québec. A l'Hôpital-Général, la même
pâtisserie porte le nom de chausson.

Crêpes au lard (Sœurs de la Charité, Montréal)

Farine, œufs, lard « entrelardé », lait.
Délayer trois cuillerées à soupe de farine avec du lait et
3 œufs. Faire rôtir dans une grande poêle deux ou trois
grillades de lard que l'on coupe ensuite par petits morceaux.
Verser le mélange liquide sur les grillades et faire cuire dans
un fourneau bien chaud.

Bouillabaisse de l'Atlantique

Première préparation : 1/2 tasse d'huile d'olive, 2 gros
oignons tranchés, 3 branches de céleri coupées grossière-
ment, 1 poireau haché, 2 gousses d'ail écrasées, 6 pommes
de terre. Deuxième préparation : 2 lb de poissons, tels que

morue, saumon, perche, etc. (vous n'avez qu'à utiliser les poissons que vous avez et que vous aimez), 2 homards moyens coupés avec la carapace, 1 boîte de tomates de 28 onces ou jus de tomate, 1 bouquet garni composé d'une pincée de thym, persil, laurier, sauge, safran, etc., 1 tasse de vin blanc si vous en avez, sinon 1 tasse d'eau, sel, poivre (plus un peu d'eau si vous trouvez qu'il n'y a pas assez de liquide). Chauffer l'huile, ajouter le reste de la première préparation, laisser attendrir un peu, ajouter la deuxième préparation. Laisser mijoter 35 à 40 mn. Recette pour 4 à 6 personnes. Elle est servie à l'*Auberge Fort-Prével* en Gaspésie.

Soupe aux pois (Ile d'Orléans)

1 lb de pois jaunes, 1/2 lb de lard salé « entrelardé » ou un os de jambon, 5 oignons (moyens), 1 poireau, 2 brindilles de sariette en poudre (1/2 cuillerée à thé), 1 cuillerée à thé de ciboulette, poivre et sel.
Faire tremper les pois dans l'eau froide dès la veille; le lendemain, laver et couvrir d'eau fraîche. Ajouter le lard salé et 2 oignons hachés fins. Faire bouillir lentement durant 2 h. Faire revenir dans le beurre (cuire à moitié) 3 oignons hachés et un poireau et ajouter à la soupe avec la ciboulette, la sariette, sel et poivre. Ajouter assez d'eau pour couvrir les pois et faire cuire 2 h (plus s'il le faut); le sel et le poireau peuvent être remplacés par des herbes salées.
Vieille recette de la région de Québec et de la voie maritime, c'est-à-dire tout le long du fleuve jusqu'en Gaspésie. On retrouve encore aujourd'hui cette même recette à l'île d'Orléans et sur la côte de Beaupré.

Tarte au sucre du pays

2 tasses de sucre d'érable (blond et non bruni car il serait âcre), 1 tasse de crème à 35 % et 1/2 tasse de noix hachées. Faire bouillir, sur feu plutôt doux, le sucre haché et la crème, en remuant lentement la préparation afin qu'elle n'attache pas au récipient; ceci environ 10 mn ou jusqu'à épaississement. La cuisson terminée, ajouter les noix hachées et laisser tiédir. Verser alors dans une abaisse faite d'une bonne pâte brisée.

Brique de lard à l'ail

Prendre un morceau de lard salé « entrelardé » d'environ une livre, le piquer d'ail au goût et le faire bouillir avec deux clous de girofle. Lorsque cuit, le retirer du bouillon et bien l'égoutter.
Badigeonner de sucre du pays et de chapelure, le faire dorer au four et laisser refroidir, servir froid.

Hachis de goélette

1/2 lb de lard salé « entrelardé », 3 oignons émincés, 5 pommes de terre moyennes coupées en cubes, 1 chopine d'eau. Couper le lard salé en petits dés et les faire revenir dans un peu d'huile à frire jusqu'à ce qu'ils soient bien dorés. Ajouter les oignons émincés, les pommes de terre coupées en cubes et l'eau. Couvrir et mettre sur un feu doux jusqu'à cuisson complète, soit environ 1 h 30.

Galettes de patates

Purée de pommes de terre, sel, farine, beurre, lait. Ajouter assez de farine pour en faire une pâte qu'on abaisse à 1/2 pouce d'épaisseur. Sur une planche enfarinée, couper en carrés et faire cuire au four sur une tôle beurrée. Autrefois les galettes se cuisaient directement sur la plaque de fonte, du poêle à bois.

Cela ressemble un peu aux pommes de terre Duchesse. Ancienne recette populaire dans les communautés et les chantiers.

Pain de ménage à l'eau de patate

8 tasses d'eau de patates tiède, 7 livres de farine, 3 cuillerées à thé de sel, 2 cuillerées à thé de sucre, 1/2 tasse de matière grasse, 2 onces de levure.

Tremper la levure pendant 10 mn dans une tasse d'eau tiède prise sur les 8 tasses d'eau de patates et ajouter 1 cuillerée à thé de sucre.

Faire une fontaine dans votre farine, ajouter levure, sucre, sel, graisse et le reste du liquide.

Mélanger jusqu'à ce que toute la farine soit pénétrée ; laisser lever 30 mn, puis pétrir et recommencer la même opération deux autres fois. Mettre la pâte dans les moules et laisser relever à nouveau avant la cuisson.

Temps de cuisson : Gros pain : 45 mn à 1 h dans un four à 350° F ou 175° C. Petit pain : 25 mn dans un four à 400° F ou 200° C.

Poulet Orléans

2 poulets de 2 lb à 2 1/2 lb, 2 bardes de lard gras, 6 pommes, 1 demiard de crème à café, 1 1/2 once de cognac.

Farcir les poulets, les brider, les recouvrir sur l'estomac d'une large barde de lard gras. Mettre les poulets, que l'on aura fait colorer au beurre, dans un chaudron de fer garni au fond d'une couche de pommes pelées, émincées et sautées légèrement au beurre. Entourer les poulets avec des pommes préparées pareillement. Cuire au four à 350° F ou 310° C. Au dernier moment, arroser de crème fraîche et d'un filet de cognac.

Farce pour le poulet Orléans

2 tasses de cubes de pain, 1/2 tasse de céleri émincé, 1/2 tasse de pommes émincées, 1 pincée de thym, 1 pincée de persil, 1/4 tasse de raisins secs.

Mélanger les cubes de pain grillé avec le céleri, les raisins et les pommes émincées. Aromatiser avec du thym et du persil. Assaisonner l'intérieur des poulets avec du sel et du paprika et remplir une moitié de la cavité avec la farce. Y verser une quantité de beurre fondu (2 cuillerées à soupe). Remplir l'autre moitié de la cavité, sans trop tasser, avec le reste de la farce, une cuillerée à soupe de cognac et à nouveau beurre fondu. Coudre l'ouverture.

Potée de bœuf paysanne

1 lb de bœuf, 1 lb de lard salé « entrelardé », 1 gros chou, 2 carottes, 1 navet moyen, 2 oignons, 2 branches de céleri, ail au goût, 3 feuilles de laurier, 1 pincée de thym, 1 tasse de farine, 1/3 d'huile à frire, 1 pinte de consommé de bœuf, sel et poivre.

Dans une grande marmite, faire revenir le bœuf et le lard salé avec de l'huile à frire; lorsqu'elle est bien dorée retirer la viande. Couper en gros morceaux les légumes (carottes, navet, oignons, ail, céléri) et les faire revenir dans la même huile. Ajouter la farine et laisser colorer légèrement, ajouter le consommé, les feuilles de laurier, le thym, sel et poivre. Mettre la viande et le chou que l'on aura au préalable coupé en quartiers et blanchi. Couvrir et cuire au four pendant 2 h 30 en remuant toutes les 30 mn.

Votre « shopping »

Une des joies du Québec, c'est le « shopping » (les Québécois disent *« magasinage »*). A titre de suggestions, voici quelques cadeaux pour amis européens :

Dans le genre cossu : Un manteau de fourrure en raton laveur (appelé ici capot de chat); pour dame, un manteau de vison ou plus simplement, en vous adressant à un fourreur, une peau de renard ou de castor.

Dans le genre traditionnel : Des objets d'artisanat : couverture en « patchwork », tableau en tapisserie (tapis crochetés), nappes ou napperons « en catalogne » (tissage à partir de bandes de coton multicolores), composition en « macramé » (travail de passementerie décorative). Sculptures sur bois, émaux, poteries (voir les Centrales d'artisanat). Objets indiens et esquimaux, surtout sculptures en stéatite, elles sont lourdes et chères (une étiquette garantit que l'objet d'art a été vraiment fabriqué dans son village par un Esquimau).

Pour les sportifs : Une paire de raquettes à neige. Un « parka » ou « mackinac », vestes de chasse. Des tuques et « mitaines » pour le ski. Un équipement de motoneigiste.

Pour les gourmands : Un saumon fumé. Un bidon de sirop d'érable. Des moulages en sucre d'érable. De la soupe aux pois en boîte. Un fromage d'Oka. Du foie de morue en conserve. Une bouteille de rye, de liqueur à l'érable, de « caribou », de vin de bleuet (si vous en trouvez).

Dans le genre rare : Une boîte à lunch. Des disques de chanteurs et de groupes à la mode. Un chandail marqué : « Vive le Québec libre », un chandail de joueur de hockey « bleu-blanc-rouge ». Une

Une des réussites de l'artisanat québécois : le tissage

boîte à lettres rurale. Des canards de bois sculptés qui servent d'appelant artificiel aux chasseurs. Une ceinture fléchée. Des agates de Gaspésie. Des sérigraphies d'après les œuvres d'artistes du Québec ; on les trouve aux comptoirs des musées, dans les galeries d'art et à Montréal, à la *Guilde graphique,* 4677 rue Saint-Denis. Un petit érable ou une épinette bleue avec racines pour être replanté. Et une paire de claques!

En général, les boutiques sont ouvertes tous les jours, de 9 heures à 18 heures; les jeudis et vendredis soir, la plupart ne ferment leurs portes qu'à 21 heures.

Elles restent ouvertes à l'heure du déjeuner. Le dimanche matin n'ouvrent que quelques magasins d'alimentation et certaines pharmacies. Se souvenir que de plus en plus elles n'assument pas de service la nuit; elles livrent volontiers tous produits à domicile.

Les magasins de la Société des alcools n'ouvrent pas avant 10 h. Ils sont généralement fermés le lundi matin. Les coiffeurs pour hommes s'appellent barbiers. Pour les dames, ce sont des « salons ».

Les librairies vendent des livres français avec un petit rayon de littérature anglophone. C'est le contraire pour les librairies de langue anglaise. Les boutiques où l'on trouve journaux et magazines, rarement fermées, tiennent toutes sortes d'articles utiles : lait frais, boissons gazeuses, lames de rasoir, petite parfumerie, jouets, confiserie, cigarettes et tabacs et mille autres choses.

Tous les prix sont marqués partout. *A ajouter, la taxe de 8* %. On ne marchande nulle part, sauf parfois chez les antiquaires.

L'artisanat, enfin sorti de son enfance rurale et stéréotypée, offre de nouveaux produits. Des artisans continuent à fabriquer des étoffes de « catalogne » aux couleurs vives, des « tapis crochetés », des statuettes de bois, des ferronneries banales et des boutons de manchettes en émail. D'autres, des potiers, des céramistes, des tisserands, recherchant les façons de demain, oublient les folklores pour créer des formes neuves, utiles et déconcertantes.

Renseignements divers

Le dollar et vous

Le dollar canadien, comme celui des États-Unis est divisé en cent « cents » (au Québec, on prononce « cenne », et l'on appelle « cenne noire » ou encore « sou » la petite pièce de bronze de un cent).

Les autres pièces sont en nickel : la petite pièce de dix cents, celle plus grosse de cinq cents, la pièce de vingt-cinq cents (quelquefois appelée « trente sous »). Il existe, mais elles sont rares et recherchées par les collectionneurs, des pièces d'un demi-dollar et d'un dollar. Des magasins spécialisés ou des banques en vendent qui sont frappées à l'occasion de grands événements : centenaire du Canada, Exposition internationale de 1967, Jeux Olympiques, etc.

Toutes les pièces canadiennes ont le même format que celles des États-Unis. Les deux devises, canadiennes et américaines, ont généralement la même valeur; il arrive, pour des achats importants, lorsque le taux d'échange est défavorable, que des commerçants majorent légèrement les factures si l'on paie en dollars US. N'essayez pas cependant de vouloir payer en devises étrangères; on ne connaît au Québec que les deux dollars.

Alors que ceux des États-Unis ont tous le « dos vert », les billets canadiens, selon la valeur faciale, se distinguent par leur couleur et les détails de la figurine. Ils portent, d'un côté les armoiries du Canada et le portrait de la très gracieuse souveraine de Grande-Bretagne (eh oui! Elisabeth II est officiellement « reine du Canada ») et de l'autre, un petit paysage dans le meilleur style des calendriers des P. & T. Les billets de un dollar sont gris-vert, de deux dollars brun-rouge, de cinq, bleus (la reine est remplacée dans certaines séries par le visage austère de sir Wilfrid Laurier qui fut premier ministre au début de ce siècle). Sur les billets de dix, qui sont violacés, on voit la reine ou encore le portrait de l'ancien premier ministre John Mac Donald. Les billets de vingt sont vert jaunâtre. Rares sont les billets de cinquante, cent, cinq cent et mille, que les commerçants n'acceptent pas facilement car circulent d'habiles contrefaçons. Le dollar au Québec s'appelle volontiers piastre (qui se prononce « piasse »).

La plupart des magasins et des hôtels changent les chèques de voyageurs, exigeant parfois une pièce d'identité (parfois le permis de conduire provincial qui ne comporte aucune photographie).

Pour les devises étrangères, il faut aller au comptoir de change des banques. Leurs nombreuses succursales sont ouvertes du lundi au vendredi de 10 h à 15 h. Certaines, pour satisfaire la clientèle ont accoutumé d'ouvrir aussi les jeudis et vendredis soir (heures variables selon les quartiers). Les cartes de crédit sont généralement acceptées, surtout celles de l'American Express, Diner's Club, Master charge, Carte Bleue et Chargex, si vous l'avez.

Quelle heure est-il?

Le Canada occupe huit fuseaux horaires, plus le demi-fuseau de Terre-Neuve et du Labrador. L'ouest du Québec et l'Ontario sont situés dans la zone de « l'heure de l'Est », soit *cinq heures de retard sur*

G.M.T. Depuis que la France a décidé de revenir au système de l'heure avancée en été, la différence horaire entre le Québec et la France sera constamment de six heures (excepté durant la période de transition, vers les mois d'avril et de septembre, lorsque les dates de changement de régime ne coïncideront pas exactement). Ainsi désormais lorsqu'il est midi à Paris, on s'éveille à Montréal puisqu'il est 6 heures du matin. Les avions transatlantiques qui quittent la capitale française aux environs de midi arrivent après quelque sept heures de vol à Montréal où il est environ 13 heures. Ceux qui quittent Montréal vers 20 heures pour l'Europe occidentale y atterrissent aux environs de 8 heures du matin (l'avion met en général moins de temps dans le sens Ouest-Est), mais les montres des passagers qui n'y ont pas touché marquent 2 heures du matin. Au Québec l'heure dite avancée est légale à partir du dernier samedi de novembre jusqu'au dernier dimanche d'avril.

Il devient d'usage au Québec d'utiliser le système des 24 heures; minuit se disant zéro heure. une heure de l'après-midi, treize heures, etc.

Beaucoup de gens encore disent « huit heures du soir » pour 20 heures et l'écrivent 8:00 P.M. (post meridian) alors que 8 heures du matin s'écrit et se dit 8 heures A.M. (ante meridian).

Les horaires des compagnies aériennes et des chemins de fer, qui indiquent généralement ainsi les heures : « 0800 », les donnent en heure locale, heure d'été ou heure d'hiver (en anglais : « standard » ou « daylight time »).

Système métrique et l'autre

Le Québec entre, pas à pas avec le continent nord-américain, dans l'ère du système métrique.
Pour habituer les Canadiens, la température, les hauteurs de pluie et de neige, déjà sont données par la radio, la télévision et les journaux en degrés C (Celsius et non centigrades) et en centimètres. On trouve encore beaucoup de gens et de thermostats qui s'expriment en Farenheit. Voici une table d'équivalence :

F	C	F	C
212	100	60	15
100	37	50	10
90	32	40	4
80	27	32	0
70	21	25	— 4

Pour le reste, les pouvoirs publics tentent petit à petit d'habituer les Canadiens aux kilomètres. Déjà sur les routes, des panneaux routiers les utilisent pour marquer les distances, concurremment avec les milles *(1 ml = 1609,3m)*; aux centimètres et mètres *(1 pouce = 2,54 cm - 1 pied = 3,048 dm - 1 yard, ou verge au Québec = 0,9144 m)*.

On perdra l'habitude de parler en pieds, pouces, verges carrés, en acre *(un acre = 0,404 ha)*, en once *(1 once = 28,35 g)*, en livre *(1 livre = 0,45 kg)*, en chopine *(1 chopine = 0,567 l)*, en pinte *(1 pinte = 1,135 l)*, en gallon *(1 gallon = 4,534 l)*. Les bouteilles de spiritueux se vendent généralement dans les formats de 12, 24 ou 40 onces. Le vin en gros dans des contenants d'un gallon.

Attention à la taille

Les vêtements pour dames fabriqués au Canada et aux États-Unis sont classés en « âges » qui correspondent approximativement aux tailles européennes :
Canada : 10 12 14 16 18 20
Europe : 40 42 44 46 48 50
Il existe aussi des *demi-tailles* 14 1/2, 16 1/2 et des *tailles intermédiaires* (chiffres impairs). Pour les hommes, la tendance va vers l'usage universel de trois dénominations : *petit (small), moyen (medium) ou large (large)*.

Pour les chaussures, les pointures s'expriment différemment : ainsi le *38 devient du 5, le 39 du 6, le 40 du 7, le 41 du 8*. Les vendeurs utilisent un appareil qui mesure longueur et largeur de votre pied, de façon que votre chaussure vous aille comme un gant.

Journaux, radio, T.V.

Au kiosque du marchand de journaux, vous aurez le choix entre dix quotidiens québécois de langue française. Le plus important, surtout en nombre de pages (parfois plus de 150) est *« La Presse »* de Montréal (tirage : 178 000). Quelques autres titres : *« Le Soleil »* de Québec, *« Montréal-Matin »*, *« Le Journal de Montréal »*, *« Le Devoir »*, *« Le Jour »*, *« Le Journal de Québec »*, *« La Tribune »* de Sherbrooke, *« Le Nouvellisle »* des Trois-Rivières. Les trois quotidiens de langue anglaise *« The Montreal Star »*, *« The Gazette »* et le *« Daily Record »* ont un tirage important par rapport à la faible population anglo-saxonne. Ils sont volontiers lus par les Québécois francophones.

Les *hebdomadaires* dits de « fin de semaine » sont nombreux : 70 titres. Ils sont dans l'ensemble destinés plus à distraire qu'à informer sérieusement. En dehors des grandes villes, on trouve des *hebdomadaires* dits *régionaux* (145 titres). Édités dans les petites villes, ils donnent des nouvelles locales. Leur rôle est très important dans la formation de l'opinion publique. A ajouter, une presse ethnique en langues diverses.

Dans le domaine des revues, il faut signaler les magazines « Maclean », « Chatelaine », « Actualité » et l'édition canadienne française du « Reader's Digest ». Tout le reste vient de l'extérieur de la Province, notamment d'innombrables périodiques nord-américains. Où les touristes sont nombreux, on trouve des journaux et revues venant d'Europe. Ils arrivent cependant en petite quantité, et il faut donc connaître les points de vente.

Le citoyen canadien est ordinairement informé par la radio et la télévision : il a le choix des canaux de communication; tous les foyers ont au moins un poste pour chacun de ces deux média. Pour la *radiodiffusion,* 72 stations (63 en français, 33 appartenant à Radio-Canada ou y étant affiliées) ; pour la *télévision,* 21 postes dont 17 en langue française (51 postes réémetteurs sont rattachés à ces stations). Groupés par chaînes, ces systèmes sont pourvus de moyens formidables. Le Montréalais moyen, devant son poste de télévision, grâce au câble (beaucoup sont abonnés, dont les hôtels), peut capter dix canaux différents. Ce à quoi s'ajoutent les possibilités de l'U.H.F. Pour la radio, F.M. et A.M., 13 stations différentes, sans parler des ondes courtes.

En gros, les postes d'État : *Radio-Canada* anglais et français : radio et télévision de type intellectuel, beaucoup d'annonces commerciales. En face, les stations privées, volontiers démagogiques; encore plus encombrées de messages commerciaux et de « lignes ouvertes ». A part, *Radio-Québec,* très didactique mais ne diffusant pas d'annonces commerciales. Les deux systèmes, radio et télévision, ont la caractéristique d'être terriblement bavards. La télévision fait de la radio accompagnée d'images en couleurs. La radio offre ses micros, sous prétexte de « lignes ouvertes », à qui veut s'exprimer. Les stations américaines, facilement captées au Québec, sont des vecteurs de stéréotypes de « l'american way of life ». Cela dit, l'indépendance de leurs équipes de journalistes chargés de l'information, en général anticapitalistes, leur donne une liberté de parole qui étonne beaucoup d'habitués des chaînes européennes, surtout françaises.

Allo ! Allo !

Les Québécois sont tous ensemble titulaires d'un record mondial : ce sont les gens qui, de loin, téléphonent le plus. Pratiquement, tous les foyers sont pourvus d'au moins un appareil. Dès qu'on vit dans plus de quatre pièces, il existe au moins deux postes, dont un dans la cuisine. Ces appareils sont rarement en dérangement. La compagnie qui les loue les offre en plusieurs couleurs, de formes différentes, munis de divers gadgets. Le Canadien français qui doit changer de logis entend le jour même être pourvu de son indispensable appareil et l'obtient sur le champ.

Grâce à l'interconnection des réseaux nord-américains et à l'automatisation, il est facile d'appeler sans délai un correspondant à des milliers de kilomètres (en général sur le continent américain). En fin de semaine et tous les jours, après 18 heures et entre minuit et 8 heures, des tarifs réduits sont appliqués. Exemples : une conversation de cinq minutes après minuit entre Montréal et Calgary (3 000 km) coûte 4 dollars 50; entre Montréal et Québec, un peu plus d'un dollar.

On trouve un peu partout des cabines téléphoniques publiques. Suivant l'endroit où elles se trouvent, lieu public ou semi-privé, la communication ordinaire pour la même ville coûte, sans limitation de durée, dix ou vingt cents. On peut de ces postes, si l'on a assez de monnaie, obtenir un appel interurbain. Le système des jetons est inconnu. Où n'existe pas de cabine publique, on peut entrer chez un commerçant, chez un particulier et demander à téléphoner. C'est un service qui ne se refuse pas. D'autant plus qu'au Canada chacun paie mensuellement un abonnement qui donne droit à autant de communications que l'on veut, de durée illimitée, à l'intérieur de circonscriptions téléphoniques assez larges.

Dans les campagnes, là où les maisons sont très isolées, il arrive que plusieurs abonnés partagent la même ligne. Celui à qui est destiné l'appel, le reconnaît par le rythme de la sonnerie. Il arrive que, par oisiveté ou curiosité, d'autres clients décrochent alors l'appareil pour entendre la conversation du voisin.

Les cadrans des appareils ne sont pas disposés comme en Europe : le groupe de lettres ABC commence avec le chiffre 2, le groupe MNO correspond au chiffre 6, la lettre Q n'existe pas; le groupe WXY correspond au 9. Le zéro complète la série. Il n'existe d'ailleurs plus d'indicatifs d'appel utilisant les lettres. On n'emploie que des chiffres qui s'énoncent séparément; ainsi, on dira pour 324-0935 : Trois-deux-quatre-zéro-neuf-trois-cinq. Notez aussi qu'au Québec, toutes les demoiselles du téléphone, qu'on appelle opératrices, sont bilingues, charmantes et très serviables. Les messages télégraphiques sont expédiés par des compagnies privées distinctes de celles qui se chargent des liaisons téléphoniques. On peut de chez soi appeler pour leur dicter un télégramme. Il partira sur le champ, la facture étant ensuite adressée par la poste à l'usager. Il est bon d'indiquer avec l'adresse du destinataire, quand on le connaît, son numéro de téléphone, les télégrammes étant, chaque fois qu'il est possible, téléphonés, avant d'être livrés. L'usage du telex est très répandu dans les entreprises commerciales.

A travers tout paysage, la route

Les bureaux de poste (ouverts de 8 h du matin sans interruption jusqu'à 17 h 45, fermés le samedi après-midi et le dimanche), semblent peu nombreux dans tout le Canada où ils sont signalés par un drapeau fédéral. En fait, il existe quantité de petites agences postales situées dans le coin d'une pharmacie ou d'une épicerie. On y trouve les mêmes services que dans un bureau normal.

C'est la fête

Les fêtes chômées au Québec sont : le premier de l'an, le Vendredi-saint, la fête de la Reine (premier lundi suivant le 15 mai), la saint Jean-Baptiste (24 juin), la fête de la Confédération (1er juillet), la fête du travail (premier lundi de septembre), le jour d'action de grâce (deuxième lundi d'octobre), le jour de Noël. Ainsi que les dimanches, ces jours-là les administrations publiques, les banques, les établissements commerciaux, y compris les tavernes, ferment leurs portes (à l'exception de quelques marchands de journaux, tabacs, petites épiceries et pharmacies et de certains restaurants et bars).

Il existe d'autres jours de fêtes et célébrations au cours desquels les magasins ne ferment pas, car ils sont prétexte à dépenses : la fête des Mères (deuxième dimanche de mai), celle des Pères (deuxième dimanche de juin), la Saint-Valentin (14 février), fête des amoureux qui s'attendent à recevoir cartes de tendres souhaits, fleurs et friandises, etc.

La route

Avant de prendre le volant

Le Québec possède un bon réseau routier, si l'on tient compte des périodes de gel et de dégel qui brisent les meilleures voies. Au cœur de l'hiver, sauf pendant les chutes de neige particulièrement fortes, les routes demeurent « ouvertes ». Des concentrations de chasse-neige munis de souffleuses, des camions épandeurs de calcium (terrible pour les carrosseries) raclent la neige et dissipent le verglas au fur et à mesure.

Il faut cependant, dès que commence le véritable et terrible hiver, adopter une autre technique de conduite. Et en cas de neige sur le sol, manier avec circonspection le volant, l'accélérateur et surtout le frein. Les autoroutes provinciales sont à péage, les grandes voies protégées qui relèvent du fédéral, gratuites. Elles se raccordent à des routes généralement bien tracées à deux ou à trois voies, se ramifient en chemins secondaires pas tous asphaltés, seulement recouverts de gravier concassé et écrasé. Limitation de vitesse : 70 miles à l'heure sur les autoroutes (sauf à certains endroits bien identifiés). Sur les autres routes : 50 ou 60 à l'heure. Dans les villages et villes : 30. L'usage de l'avertisseur sonore est permis; l'automobiliste canadien d'ailleurs l'utilise peu. Un grand nombre de passages à niveau ne sont pas munis de barrières; un signal sonore et lumineux avertit du passage imminent d'un convoi ferroviaire. Parfois, un simple panneau signale le croisement avec une voie de chemin de fer. Il faut donc s'arrêter, tâcher d'entendre la sirène du train, ne passer les rails qu'avec prudence. On lit trop souvent dans les journaux que des automobilistes audacieux ou inconscients ont été broyés dans leur voiture par des locomotives. Ils sont toujours dans leur tort, ayant pénétré sur la propriété d'une entreprise ferroviaire.

Attention aux autres

L'automobiliste québécois a deux façons bien différentes de conduire : en général, dans les rues des villes, il se hâte lentement. Même là où trois voitures pourraient rouler de front, il préfère suivre, bien au milieu de la chaussée, le véhicule qui le précède. Il « vole » rarement un feu orange, ne repart que lorsque le vert est bien mis. Il prend ses tournants à vitesse réduite et tolère mal dans ce mouvement qu'un autre le fasse de façon parallèle à lui. Sur la grand route, ce flâneur du volant se transforme volontiers en coureur de rallye. Fonçant dans les lignes droites, il ralentit peu aux courbes, change de ligne oubliant parfois d'en avertir à l'aide de ses feux de direction, double à droite, se rabat sur la gauche et n'utilise son rétroviseur que pour s'assurer qu'il n'est pas suivi par une voiture de police. Sur une autoroute à vitesse limitée à 70 miles à l'heure, où tout le monde roule à peu près entre 65 et 75, si une voiture dépasse à 90 et plus, c'est sûrement un Canadien français. L'Anglais, à cause de son sens civique, l'Américain, chez qui la limite de vitesse est très basse, sont peu coutumiers de ces excès. Ils coûtent très chers en vies humaines et en assurances (à cause du taux élevé d'accidents au Québec, les primes y sont plus coûteuses que partout ailleurs).

Pour réfréner les délinquants, la police multiplie les patrouilles en voiture et à moto, institue des surveillances en avion ou hélicoptère, utilise des radars, des caméras et autres gadgets sophistiqués. Et le Québécois, amateur de voitures puissantes, continue à rouler trop vite sur ses routes. On compte aussi un grand nombre de conducteurs qui prennent le volant alors que leurs facultés sont « affaiblies » par l'alcool. Pour limiter les hécatombes, on impose aux chauffeurs suspects le test de l'ivressomètre ou la prise de sang. Qui est pris en faute perd des « points de démérite » et peut voir suspendu ou confisqué son permis de conduire.

Les policiers de la route sont impitoyables et fermement courtois envers ceux qui sont pris en flagrant délit de « conduite dangereuse ». Ni sourires, ni discours ne peuvent les amadouer. Ils sont en revanche bienveillants pour les peccadilles. L'automobiliste en panne peut compter sur leur aide efficace.

On trouve tout au long des parcours routiers des stations-service. De plus en plus, elles sont sans pompiste ; c'est le client qui se sert et paie à la caisse. Certaines sont ouvertes jour et nuit. Quelques-unes sont fermées au moins le dimanche matin. Outre l'essence, l'huile et certains accessoires d'urgence, on y trouve des distributeurs de boissons fraîches ou chaudes et surtout des « toilettes » impeccables. Ce qui est rare dans ces oasis pour voitures et conducteurs, c'est un mécanicien capable de détecter un problème mécanique peu courant et de connaître la fine recette pour y remédier ; si vous conduisez une voiture de fabrication non-américaine, n'égarez pas la liste des garages qui en font l'entretien.

Les signaux routiers ne sont pas tous de type international.

Le fruit moins défendu

On ne voit pas, à Montréal ou dans les autres villes du Québec, comme sur le boulevard de la Madeleine, à Paris, de jeunes femmes aguichantes qui proposent leurs charmes aux messieurs. On ne voit pas, comme à Hambourg ou à Amsterdam, des vitrines derrière lesquelles une professionnelle de l'amour tarifé attend le visiteur. La maison close ou le « clandé » sont interdits et introuvables.

La prostitution pourtant existe. Qui voudrait s'en assurer n'a qu'à très simplement demander un « bon » conseil au portier de quelques hôtels (même d'allure très respectable) ou poser la question à un chauffeur de taxi (de préférence la nuit). On lui donnera le numéro de téléphone d'une organisation de « call-girls ».

La police est sourcilleuse en ce qui concerne « l'usage des drogues non-médicales ». Autrement dit, la possession, la vente, l'usage de haschich, LSD, héroïne et autres clefs des paradis artificiels, peut conduire en prison. On tolérera peut-être, sauf s'il s'agit de jeunes personnes, des odeurs de fumée suspectes dans certains bistrots de tradition hippie, mais c'est pour mieux y découvrir les « pushers », ceux qui distribuent au prix fort l'herbe magique.

Une autre activité illicite mobilise les policiers : les jeux d'argent interdits. Les tripots (appelés ici bar-bottes) sont de moins en moins courus. Il existe une forte concurrence : les paris légaux sur les courses de chevaux, les bingos dans les églises et la Loto-Québec, loterie nationale, récemment créée qui drainent les dollars dans les caisses de l'État. Il est même question d'ouvrir au Québec des casinos de type Monte-Carlo ou Las Vegas.

Un paysage original

Pour l'étranger qui le contemple pour la première fois, le paysage rural québécois surprend toujours. La campagne, lorsqu'on tente de la déchiffrer, semble cacher un mystère. Il réside, on finit par s'en rendre compte, dans la façon dont les fermes sont disposées autour des villages, posées de loin en loin, à des distances régulières, entourées de beaucoup d'espace, à la fois proches mais isolées, différentes mais alignées. Cette disposition qui pourrait marquer des traits de caractère propres aux Québécois s'explique facilement lorsque d'un avion on regarde une région agricole : les terres sont, la plupart du temps, disposées en bandes verticales uniformes perpendiculairement à un cours d'eau ou à une route. C'est le *rang*, ou la *côte*, type très particulier de peuplement qui n'existe guère que dans la Province canadienne française. On voit très bien comment il a été adopté : les premiers colons, qui, faute de routes, voyageaient en canot sur les rivières, devaient avoir sur la berge une zone d'échouage, un abord commode mais pas trop large, afin de permettre aux voisins d'utiliser une portion de rivage. La maison est bâtie un peu en retrait; derrière s'étend, étroite, 100 à 200 m et très longue, la propriété, en partie défrichée, le fond étant gardé en « bois debout » pour les besoins de la ferme, notamment ceux du chauffage. Cet arrangement était autrefois utile en cas d'attaque, les cultivateurs pouvant plus facilement se regrouper pour la défense de leurs demeures. Lorsque la paroisse grandissait trop, on ouvrait, parallèlement au premier, un second rang en bordure duquel se trouvaient les fermes, la partie boisée au fond de la pièce touchant celle du voisin du premier rang. Et ainsi de suite. Pour passer d'un rang à l'autre, des routes étaient tracées à angle droit, qui ont gardé le nom de « montée ». Lorsque les voies de terre ont remplacé les rivières, on a continué à aligner les propriétés en rangs. Très souvent, on les désigne par un adjectif numéral : le *deuxième rang*, le *cinquième rang* ou par un nom qui rappelle le caractère des premiers occupants, par exemple *rang des Irlandais*. La région de Charlevoix a gardé de vieilles appellations : on y parle du *rang Misère*, du *rang Poussepioche*, du *rang Cache-toi-bien*, du *rang Main-sale* qui excitent la curiosité des toponymistes.

Une maison en « pierre des champs » : elle a trois siècles

La maison québécoise

La ferme québécoise classique est également particulière : elle est construite en bois, y compris le toit couvert de bardeaux. Souvent les granges n'ont jamais été peintes et ont pris avec le temps une teinte gris-beige. La maison d'habitation est proche de la route qui la dessert; il faut éviter d'avoir trop à pelleter en cas de forte chute de neige. A l'arrière, formant un carré où l'on installe de préférence le jardin potager, les granges, très hautes pour conserver pendant la mauvaise saison le maximum de foin. Lorsque le fermier le peut, il ménage un tertre à l'arrière de sa grange. Ainsi, en faisant reculer sa charrette sur la levée de terre, il peut en faire basculer directement dans le grenier la charge de fourrage. Des « chutes » permettent, à l'intérieur, de faire arriver le foin directement dans les mangeoires des animaux. Beaucoup de fermes sont dotées d'un grand silo circulaire destiné à entreposer le maïs fourrager.

Devant chaque maison, la traditionnelle *boîte aux lettres,* rectangulaire, au toit arrondi, qui ressemble justement à une petite grange. Marquée le plus souvent au nom de l'habitant, elle est posée sur un poteau de bois et orientable. Si elle est perpendiculaire au chemin, le facteur sait qu'on y a déposé des objets postaux qu'il doit ramasser. S'il y place du courrier, il ne change pas son orientation. Sinon, placée parallèlement à la route, elle indique aux gens de la maison qu'il est inutile qu'ils se dérangent. Il n'y a rien pour eux.

Les bourgs ruraux ont beaucoup de traits en commun. Les maisons sont également alignées sur le bord de la route. Au centre, sur une place, l'église qu'on a voulu la plus belle possible, de préférence en pierre, ornée de deux grandes tours fléchées, recouvertes, comme le toit, de feuilles de métal badigeonnées de peinture argentée. Le presbytère attenant est de belle taille. Après l'église, le bâtiment le plus considérable est le magasin du « marchand général » qui vend à peu près tout ce dont les gens de la paroisse ont besoin : alimentation, quincaillerie, étoffes, mercerie. L'hôtel se remarque aussi. Il y a peu de chambres à louer ; c'est surtout un lieu de réunion où l'on vient boire et retrouver les amis le samedi soir. Quelques boutiques, des maisons privées complètent l'ensemble. Ces maisons sont surtout habitées par de vieilles gens, cultivateurs à la retraite qui préfèrent vivre là, près de l'église, ayant laissé la maison du rang où un des fils a pris la relève. Eux ont « terminé leur règne ».

On retrouve au cœur des petites villes ou des vieux quartiers des grandes, cette disposition. A l'entour, les maisons de pierre des champs, à double toit, au faîte parallèle au chemin. Elles sont entourées d'une galerie-perron en bois couverte, mais ouverte sur la rue. On s'y balançait dans les chaises « berçantes » en regardant le mouvement de la rue. Ces demeures de bois sont petit à petit remplacées par des constructions cubiques, sans cheminées, faites de briques brunes, de béton, avec des fenêtres standard à cadre d'aluminium. Les vieilles demeures sont complétées par une pièce attenante où est pratiquée une deuxième entrée. On s'en servait l'hiver pour se débarrasser de ses vêtements et chaussures enneigés avant de pénétrer dans le logis. Aux beaux jours, elle servait de cuisine d'été. Ce qui est étrange et laid, mais personne ne le remarque plus, c'est le nombre de poteaux de bois au long des trottoirs, chargés des fils du téléphone, de l'électricité, de l'éclairage public, des feux de circulation, des câbles de télévision ; le tout s'entrecroise au-dessus des têtes comme des toiles d'araignée. De toutes façons, n'oubliez pas votre appareil photographique ou votre caméra.

Les sports

On veut de l'action

Rien n'est plus beau qu'une partie de *hockey* : la vitesse, la couleur, la puissance, les reflets de la glace polie vivement éclairée, les réactions de la foule, les cris, le bruit des cloches, trompettes et autres instruments sonores apportés par les fanatiques ; cela forme une ambiance unique au monde, un merveilleux spectacle à ne pas manquer.

Le *football américain ou canadien* paraîtra très brutal à l'habitué du football à l'européenne. Il devra se faire expliquer pourquoi ces grands hommes tout en muscles, casqués, corsetés transportent le ballon sur le terrain zébré de bandes blanches, le porteur devant s'immobiliser dès qu'il est arrêté, parfois très brutalement, par ses adversaires, qui se jettent dessus à cinq ou six en formant un très joli tas.

Le *base-ball* peut paraître long et ennuyeux à ceux qui n'en sont pas amateurs. Il offre de rares instants palpitants entrecoupés de séquences remarquablement ternes.

Mais, aux dires des connaisseurs, c'est quand il ne se passe pas grand chose que c'est le plus intéressant. La faute du joueur qui n'a pu envoyer ou recevoir la balle après plusieurs essais, modifie une grille complexe de statistiques dont il faut connaître les arcanes pour savourer pleinement cet instant du jeu.

Comme le Canadien n'aime rien tant que les sports dits « de contact », on a ressuscité un vieux jeu inventé par les Indiens : *la crosse*. Il tient à la fois du hockey et du football. Joué sur un plancher de bois, par de solides et très rapides gaillards, ses règles permettent de bloquer l'adversaire par des méthodes qui relèvent de l'escrime au bâton. Les coups brutaux, suivis sur le champ de règlements de comptes individuels entre joueurs, ne sont pas rares. Ils se livrent à des bagarres à plusieurs, toujours goûtées du public.

Pour cette raison, *la lutte* (type catch) remplit aussi les grandes salles. Chacun sait que les pugilistes jouent la comédie bien réglée de la sauvagerie, de la douleur, de la sournoiserie, du repentir; un large public aime cependant ces simagrées et réclame du vrai sang. Ce sont sans doute les mêmes spectateurs qui, l'été, vont voir des *courses de stock-cars* où de vieilles voitures au moteur surgonflé s'entrechoquent dans un nuage de poussière et d'huile brûlée.

Le golf qui fut le plus aristocratique des sports, le plus solitaire est devenu un spectacle pour les grandes foules. On va sur les « verts » ou on regarde à la télévision la super vedette frapper les balles blanches. On s'identifie à ce héros qui aura gagné dans sa journée plusieurs dizaines de milliers de dollars s'il a su « abaisser sa moyenne ».

Spécialité d'ici : la motoneige

La boxe a longtemps eu ses adeptes au Canada; elle a pratiquement disparu des arènes. Le football (soccer), en dépit des efforts d'immigrants européens, ne réussit pas à détrôner les « grands sports » (il n'y a pas assez d'action et de jeu de puissance, affirment volontiers les Canadiens).

On appelle aussi sports toute pratique d'équipe ou individuelle dépourvue de hautes compétitions physique ou capitaliste, sans spectacle monstre, sans professionnels grassement payés.

En hiver, chacun pratique facilement le *ski alpin :* les vraies bonnes pentes sont cependant rares; le *ski de promenade* (appelé ski de fond) qui gagne de plus en plus d'adeptes convient très bien au pays. On se promène aussi dans les sous-bois, chaussé de raquettes. *La motoneige* (inventée au Québec) a fait des progrès foudroyants et conquis un large public. Rançon de sa popularité, on rend plus difficile ce sport grisant qui permet de foncer à travers la nature enneigée. Sans règles de sécurité très strictes, il est dangereux; il pollue les champs de neige, surtout par le bruit qu'il fait, dérange les habitudes du gibier dont la survie est précaire en hiver. On organise donc pour les motoneigistes des circuits balisés qu'ils sont invités de préférence à parcourir.

Tout Québécois naît, dit-on, des *patins* aux pieds. On voit dans les parcs de très jeunes enfants patiner avec grâce; au cours du long hiver, les cours de récréation sont transformées en patinoire. Tout le monde fait, a fait ou fera du hockey.

Les Écossais ont importé au pays un de leurs jeux d'hiver : *le curling,* surtout pratiqué en milieu anglo-saxon.

Seuls les enfants s'adonnent aux joies du *traîneau*

(appelé traîne « sauvage »). Autrefois, pour les adultes, on construisait de longues pentes de bois permettant de sportives et amusantes descentes en « toboganes ». Il y a encore de ces pistes sur la terrasse de Québec.

En été, vous irez avec les Québécois faire du *camping*. Mais au pays du confort, on préfère toutefois la roulotte ou le camion « camper » à la tente de toile, même si c'est une demeure transformable faite pour le bien-être.

Les nombreux lacs, les grands plans d'eau favorisent les *sports nautiques :* voiliers, petits yachts, hors-bords, embarcations de toutes sortes s'y retrouvent et perpétuent la vieille tradition nautique du Québécois qui, dans le fond de son cœur, ne pense qu'à s'amariner, de préférence sur un bon bateau, pourvu d'un moteur puissant et de cabines confortables.

La pollution des eaux — redoutable problème — éloigne des lacs et rivières de nombreux nageurs. Il n'existe, en dehors des *piscines* de jardin de plus en plus nombreuses, que peu de grands bassins où l'on peut nager.

L'*équitation,* sport relativement bon marché, dépourvu de snobisme, se pratique facilement. On porte rarement la bombe, la tunique de velours, la culotte de cheval et la botte Saumur. Une paire de jeans, un vieux chandail, des bottes de caoutchouc très rurales suffisent. D'ailleurs peu de cavaliers montent à l'anglaise préférant le style western.

Le *cyclisme,* longtemps réservé à quelques originaux, fait de foudroyants progrès, encore que les routes, surtout faites pour les autos, rendent ce sport dangereux. Les associations nouvellement créées de pédaleurs (avec une nette intention antipollution) réclament des pouvoirs publics l'établissement de pistes cyclables et de règlements en leur faveur.

La *marche à pied* est ouverte à tous. Mieux vaut la pratiquer dans les campagnes et non sur la route. Beaucoup d'automobilistes qui comprennent mal qu'on se promène ainsi, offrent aux marcheurs de leur donner un « lift ». Les deux grands sports du pays demeurent la chasse et la pêche.

Les joies de la pêche

C'est une aventure qui se prépare soigneusement. Les meilleures zones de pêche sont éloignées. Un matériel varié est indispensable. En été, dans les régions du Nord, il faut apporter, surtout en début et fin de saison quand les nuits et les matins sont frisquets, des vêtements très chauds. Même dans les autres régions, le temps peut changer et se rafraîchir et un bain forcé est toujours à craindre.

Voici quelques indications de température :

	Nord (au-dessus du 50e parallèle)		Centre (entre le 48e et le 50e)		Sud (au-dessous du 48e)	
	Min.	Max.	Min.	Max.	Min.	Max.
C°						
Mai	0	8	3	12	9	13
Juin	4	14	8	18	14	23
Juillet	7	16	13	23	16	26
Août	7	16	11	21	16	25
Sept.	3	11	7	17	11	21
Octobre	2	11	1	11	6	13

Pour circuler en forêt, le bon pêcheur se munit de bottes de marche. Il emporte pour la pêche des bottes de caoutchouc parfaitement étanches à semelles antidérapantes. Pour la truite et le saumon, en rivière, des cuissardes ou autres combinaisons étanches. Il n'oublie pas non plus de mettre dans le coffre de l'auto, outre sa grande boîte de pêche remplie de centaines d'accessoires, une ceinture de sécurité, une lampe de poche à l'épreuve de l'eau, un couteau de chasse, une hachette, des pinces, une boussole, un couvre-tout en caoutchouc ou matière plastique. Et surtout une trousse de premiers secours et un bon insecticide. Sans compter quelques bouteilles d'alcool et de bière. Le touriste qui veut l'imiter doit avant tout se munir, à un comptoir de renseignements d'un résumé des règlements en vigueur et les lire attentivement. Il verra que le législateur, coincé entre le désir de répondre le plus possible au vœu des pêcheurs et la nécessité de protéger les espèces et leur environnement, a multiplié les interdictions, toujours tempérées par un système de subtiles exceptions.

Il lui faut d'abord le bon permis. Il en existe, seulement pour la pêche dite sportive ou récréative, six sortes, selon que l'on pêche à la ligne, avec des nasses ou carrelets, à la foëne, en plongée libre, la corégone au filet maillant, la lotte à la ligne dormante ou que l'on veuille capturer le poisson à l'aide d'un arc ou d'une arbalète.

Le résident du Québec paie son permis $3,25 (seulement un demi $ s'il est âgé de plus de 65 ans). Le non-résident, c'est-à-dire qui n'a pas demeuré au Québec pendant les 12 mois précédant sa demande de permis, le paiera $15,50 pour la saison ou $10,50 pour trois jours.

Pour toute espèce de poisson, en fonction du matériel de pêche utilisé pour le capturer, de la période de l'année, de la zone géographique (il y en a sept au

Québec, soigneusement délimitées), il existe des règlements très détaillés. Ne pas manquer non plus de bien consulter le tableau des prises quotidiennes autorisées.

Sur ce, bonne pêche !

Vos prises

Sont considérés comme poissons « sportifs » :

La **truite mouchetée,** appelée ailleurs truite de fontaine ou de ruisseau, truite rouge ou saumonnée. On la trouve un peu partout dans les eaux du Québec. A partir de juin, ces poissons regagnent les eaux plus froides. Certaines truites se retirent même dans l'Atlantique où elles perdent leurs brillantes couleurs et prennent le nom de truites de mer.

La **truite rouge,** ou omble chevalier d'eau douce ou truite « marstoni »; elle ressemble beaucoup à la truite mouchetée, mais vit principalement le long de la Côte Nord et dans certaines eaux de la Gaspésie.

L'**omble de l'Arctique,** ou omble chevalier de mer : très gros et savoureux poisson à chair rose. Les Esquimaux l'appellent *iklahu* et les Anglais *Arctic char.* On le trouve dans les eaux des froides rivières qui se jettent dans la baie James, la baie d'Hudson et la baie d'Ungava.

La **truite grise,** dite encore touladi, truite de lac ou omble gris; grosse truite très répandue dans la province. On la capture au lancer, ou à la mouche en surface dès que la glace a fondu. Lorsque l'eau est plus tiède, il faut la pêcher à la traîne avec une ligne plombée.

La **truite arc-en-ciel,** récemment immigrée au Québec; elle vient de Californie. Selon les spécialistes, c'est un poisson capricieux qui, dès qu'il est ferré, donne de vives émotions au pêcheur. On le trouve en Estrie, principalement dans le lac Memphrémagog.

La **truite brune** ou truite franche. Celle-là vient d'Europe et s'acclimate lentement. Elle va finir par se répandre dans tous les lacs et cours d'eau.

Le **saumon de l'Atlantique,** surnommé le roi des eaux. A partir de juin et jusqu'en août ce robuste poisson arrive de la mer et remonte vers le confluent des rivières où se trouvent ses immémoriales frayères sur la Côte Nord du Saint-Laurent, du Saguenay, au Labrador et sur d'autres cours d'eau du Bas Saint-Laurent, de la Gaspésie et de l'île d'Anticosti. Afin de protéger ce poisson, les rivières à saumons sont louées à des clubs privés et à des pourvoyeurs qui ont l'obligation de contrôler les prises. On ne peut pêcher le saumon qu'à la mouche artificielle. Le Ministère du tourisme surveille lui-même certaines rivières, afin de permettre au grand public de profiter de ce sport royal.

La **ouananiche** qu'on appelle aussi saumon d'eau douce ou sébago. C'est le descendant des espèces qui, il y a des milliers d'années, après la dernière glaciation, sont restées prisonnières dans les nappes d'eau de l'intérieur du Nord-Est québécois. On en trouve particulièrement dans le lac Saint-Jean. C'est un adversaire reconnu pour sa combativité.

Le **maskinongé**. Il est de la famille des brochets nord-américains. De grande taille, très puissant, capricieux, il ne se laisse pas prendre facilement. On le trouve dans le Saint-Laurent, l'Outaouais et certains lacs au nord de Montréal ainsi que, sur le mode fabuleux, dans les histoires de pêche.

Le **brochet du Nord**. Comme son nom l'indique, on le trouve surtout dans les territoires au Nord du Saint-Laurent, parfois en Estrie. On le tente au lancer ou à la traîne à l'aide de leurres brillants.

Le **brochet maillé** et le **brochet d'herbe**. Ils se rencontrent surtout dans les lacs du Sud du Québec. On les attrape à la traîne, au lancer léger ou dans certains cas à l'aide de vairons (en langage de pêcheurs, des « ménés »).

Le **doré jaune**. Très beau poisson doté d'une large nageoire dorsale en éventail. Même s'il ressemble un peu au brochet, et partage son habitat, il appartient à la famille des perches. On le pêche de préférence le soir, au lancer ou au fond, avec des vairons et des grenouilles. Sa chair est particulièrement fine.

L'**achigan à petite bouche**. Autre type de perche. Il est extrêmement bagarreur et livre des combats subtils et acharnés au pêcheur qui croit déjà l'avoir capturé. Familier des hauts-fonds, on le trouve dans le Saint-Laurent, l'Outaouais et leurs affluents ainsi que dans certaines eaux du sud du Québec.

Votre ami, le pourvoyeur

Ceux qui n'aiment pas les émotions trop fortes, se contentent de la pêche récréative, ils taquinent la perchaude, la barbotte, la barbue, le corégone, la lotte, le crapet.

Si vous vous trouvez au bon moment entre Baie Saint-Paul et Québec, essayez la pêche nocturne à l'éperlan. Si vous n'êtes pas frileux, la pêche d'hiver, par un trou fait dans la glace, est un sport vivifiant. Sauf à **Sainte-Anne de la Pérade** et à **Batiscan** où vous pouvez louer, pour la capture des « petits poissons des chenaux », des cabanes chauffées, parfois pourvues d'un récepteur de télévision en couleurs.

Si vous voulez être sûr de ne pas rentrer bredouille, faites appel à un pourvoyeur. D'ailleurs, si vous êtes un non-résident, pour toute pêche ou toute chasse, au nord du 52e parallèle, la loi oblige à en avoir un.

On appelle pourvoyeur (en anglais « outfitter »), un guide professionnel qui en plus d'accueillir un client, de le restaurer, l'héberger, lui fournit des embarcations et autres facilités. Le gouvernement qui contrôle leur activité en publie et distribue la liste. Règle générale, le pourvoyeur ne loue, ni ne prête de matériel de chasse ou de pêche.

Au hasard, quelques rubriques tirées du guide des pourvoyeurs : il est signalé que *Julien Bélanger,* à l'enseigne de l'**Oasis de Marc,** à **Ferme-Neuve,** dans le comté de Labelle (région des Laurentides), tél. 587.3248 et 586.2991, offre des services pour la pêche au brochet au doré et à l'achigan et la chasse à l'orignal, chevreuil et perdrix — guide obligatoire. Il loge ses clients dans un pavillon et 12 « camps », et met à leur disposition 12 embarcations. Les chalets sont dotés d'une cuisine, d'un réchaud à gaz propane, d'un réfrigérateur, d'eau courante; la literie est fournie. Un permis spécial lui permet de servir des repas avec vins et spiritueux. Il loue des moteurs de hors-bord. Pour la pêche, ses chalets se louent entre 80 à 100 $ par semaine ou 5 $ par jour. Pension complète : 8 $ par jour (minimum 3 jours). Guide 20 $ par jour. Pour la chasse, location simple : 8 $. Pension : 10 $, guide : 25 $. Droit de camping : 2 $.

Dans la catégorie des prix modérés, *Mlle Chantal Montgomery-Schell* propose son pavillon et ses camps au **« Kan-A-Mouche Lodge »,** à **Saint-Michel-des-Saints** (tél. 833.6662) aux pêcheurs de truites, brochets et dorés et aux chasseurs d'orignaux, ours, lièvres et perdrix. Embarcations fournies ainsi que literie, linge de maison, électricité, réfrigérateur, eau courante chaude et froide. Le bar est pourvu en alcool. Pension complète, de 41 à 53 $ par jour. Pour la pêche, location sans repas 23 $ avec minimum de 3 jours. Pour la chasse, 41 à 53 $ ou 25 $ sans repas. Guide : 30 $ par jour.

Dans le genre cher, le **club Chambeaux** (tél. 834.2581), transporte ses clients par Québécair à Gagnon et de là en hydravion jusqu'à la *rivière Kaniapiskau* dans le **Nouveau-Québec.** Le camp comprend 5 chalets où peuvent loger 24 personnes et une salle à manger; il dispose d'embarcations; eau courante chaude et froide, toilettes extérieures. Forfait tout compris par groupe de 4 pêcheurs pour un minimum de 5 jours; 450 $ par personne et 545 $ pour les chasseurs.

Un Français établi depuis longtemps au Canada, *M. Patrick Hugon,* propose son village de tentes sur plancher de bois à **Larocque** et au **lac Matonipi** dans les solitudes boisées au-delà du 52e parallèle. Pour la pêche, il propose la pension complète, pour 70 $ par jour et par personne. Ou selon une formule comprenant, au départ de Montréal, voyage par air et séjour : du vendredi au mardi, 470 $ par personne ou 670 $ pour 7 jours, minimum deux personnes. Pour la chasse, le forfait pour huit jours est de 850 $. Le touriste européen qui vient passer quelques semaines à Montréal, et qui serait tenté par ce genre d'expédition, doit savoir que plus on va loin vers le Nord, plus c'est cher et moins le confort est possible. Si le poisson et le gibier abondent, le pourvoyeur ne peut garantir que son client ramènera son quota de truites, sa peau d'ours noir ou son orignal. Il faut compter sur les caprices de la météorologie; le brouillard peut empêcher le départ des hydravions qui atterrissent à vue sur les lacs. Enfin, la marche en forêt, la remontée des torrents, exigent une forme physique parfaite.

Certains pêcheurs préfèrent se livrer à leur passion dans les parcs provinciaux.

Les plaisirs de la chasse

Pour la chasse, mêmes règlements méticuleux. Sachez d'abord, si vous voulez vous attaquer aux sauvagines (c'est-à-dire les oiseaux migrateurs) que le permis coûte $ 4,25 pour les personnes qui sont domiciliées au Québec et $17,25 pour celles qui ne le sont pas. Il vous permet aussi de chasser certains oiseaux non-migrateurs, ainsi que le lièvre, le loup, le coyote, le lynx, le renard, la mouffette, le raton-laveur, la marmotte et le porc-épic.

Le permis général coûte 103 $ aux non-résidents. Il donne le droit de tirer en outre l'orignal, le chevreuil, le caribou et l'ours. A condition de tenir compte des restrictions générales et particulières, des époques où certaines chasses sont prohibées, de ne pas dépasser les limites légales de prise et d'utiliser les méthodes et le matériel de chasse soigneusement décrits.

Il faut savoir aussi qu'il est défendu de tirer sur tous les ·oiseaux insectivores migrateurs et les oiseaux migrateurs non considérés comme gibier (par exemple le pingouin, le fou de Bassan ou le héron et aussi les cygnes, tourterelles, pigeons sauvages, oiseaux de rivages et bien d'autres). Il reste, selon les districts et aux bonnes dates, de nombreuses espèces de canards, les eiders, les macreuses, les kakwis, les bécassines, les oies sauvages, les outardes, les poules d'eau. A condition que ce soit avec un fusil de chasse de calibre 10 au maximum ou à l'aide d'un arc. Tout autre procédé est illégal ainsi que l'usage du fusil à bord d'un avion, un bateau, une auto ou « un véhicule tiré par une bête de trait ».

Pour le gros gibier (chaque chasseur n'a droit qu'à un animal), il est nécessaire si vous abattez un ours, dans les conditions permises, d'en faire la déclaration à un agent du ministère préposé à cette tâche, dans les 48 heures après la sortie de la forêt. Pour le chevreuil, l'orignal et le caribou, il faut de plus fixer à la carcasse de l'animal le coupon de transport fourni avec le permis de chasse et le faire estampiller par un fonctionnaire spécialisé.

Sachez qu'il est interdit aussi de tirer sur le bœuf musqué, l'ours polaire (cette chasse est permise dans certaines conditions, dans les territoires du Nord-Ouest, mais à un tel prix, que la descente de lit revient assez cher).

Si vous voulez à l'aide de pièges, prendre des animaux à fourrure : belette, carcajou, castor, écureuil, loutre, martre, pécan, rat musqué ou vison (c'est la seule façon légale de le faire), il vous faut un permis spécial de piégeage et surtout un instinct et des techniques que seuls possèdent les vieux Indiens.

Le gibier typiquement québécois est l'orignal. On ne le chasse pas tant pour sa viande, qui est bonne, que pour ses bois — son « panache » immense à forte palmure et très décoratif. Les grands mâles peuvent atteindre plus de deux mètres au garrot. La bête est d'un naturel paisible, semble un peu myope. On la trouve surtout sur les bords des lacs où elle vient se nourrir de plantes aquatiques. C'est là où généralement les guides conduisent leurs clients, toujours contre le vent, car l'immense cervidé à l'odorat fin et au moindre danger déguerpit rapidement. Pour attirer le mâle, le guide fabrique, à l'aide d'un morceau d'écorce de bouleau, un porte-voix rustique dans lequel il imite le cri de la femelle en chaleur. Si le « call » a été bien fait, l'orignal va s'approcher suffisamment pour recevoir les coups de fusil. Huit mille orignaux sont ainsi tués légalement au Québec chaque année. En principe, leur chasse est totalement interdite dans les parcs provinciaux destinés à les protéger.

Essayez les parcs

Le Québec, pays des grands espaces, a dû quand même ouvrir ces musées et conservatoires de la nature que sont les parcs naturels. On en compte vingt-deux. Superficie totale : 13 millions d'hectares, soit trois fois la grandeur de la Suisse.

SOCIÉTÉ DE CONSER

ILS SONT *FOU*

Les parcs provinciaux, conservatoires de la nature

Le parc de la Vérendrye, 1 360 000 hectares, sur la route de Mont-Laurier à Val-d'Or. Territoire relativement plat, comprenant de nombreux lacs et des affluents de l'Outaouais. Activités principales : pêche, camping, canot-camping, pique-nique, baignade, chasse contrôlée à l'orignal. Équipement hôtelier : auberge, chalets avec cuisine, terrains de camping.

Parc de Papineau-Labelle, 173 000 hectares, au nord de l'Outaouais. Série de collines ondulées, couvertes d'érablières et de pinèdes. Hébergement : chalets avec cuisine. Chasse au petit gibier, pêche, canot-camping. En hiver : motoneige.

Parc Paul-Sauvé, à Oka. Hébergement : grand terrain de camping. Chasse interdite, baignade, canot, voile sur le lac des Deux-Montagnes. En hiver : pêche sous la glace. Ski de randonnée et raquette (16 km de pistes balisées).

Parc du Mont-Tremblant, 256 400 hectares, au nord des Laurentides centrales. Collines massives et sommets (850 m). Hébergement : châlets avec cuisine, deux terrains de camping. Chasse à l'orignal contrôlée. Pêche, canotage, sentiers d'excursion, canot-camping. En hiver : ski de randonnée, raquette, motoneige.

Parc du Mont-Orford, 3 900 hectares, sur l'auto-route de Montréal à Sherbrooke. Installé sur un gigantesque rocher solitaire d'origine volcanique — même formation géologique que le Mont-Royal de Montréal — couvert d'érablières et différents feuillus. Un télésiège fonctionne toute l'année. Sur les pentes, un beau bâtiment abrite le *Centre d'art des Jeunesses musicales du Canada :* s'y réunissent de nombreux congrès. On y organise des concerts tout l'été. Grand terrain de camping, résidences, caféteria, restaurant, bar. Chevreuils en liberté, pêche, baignade, golfe de 18 trous. Station de ski : 32 km de pistes, dénivellation de 457 m; ski de randonnée, raquette.

Parc de Joliette, 37 400 hectares, près de la route de Joliette à Saint-Michel-des-Saints, sur la plate-forme des Laurentides. Terrain très accidenté. Châlets avec cuisine. Pêche avec ou sans hébergement. Chasse au petit gibier, baignade. En hiver : motoneige.

Parc Mastigouche, 175 500 hectares, au Nord de Saint-Alexis-des-Monts. Hautes collines ondulées. Lacs, ruisseaux et forêts d'érables et conifères. Hébergement : châlets avec cuisine. Chasse contrôlée à l'orignal et petit gibier. Pêche, canot-camping, baignade. En hiver : motoneige.

Parc du Saint-Maurice, 160 000 hectares, sur la route de Shawinigan à La Tuque. Territoire tourmenté, fortement marqué par l'action glaciaire, couvert de forêts : bouleaux, érables, épicéas et cyprès, bordé par la rivière Saint-Maurice et parcouru par ses affluents. Hébergement : châlets avec cuisine, habitables en hiver, terrains de camping. Chasse contrôlée à l'orignal et au petit gibier. Pêche avec ou sans hébergement, baignade, pique-nique. En hiver : motoneige,. ski de randonnée et raquette.

Parc de Portneuf, 62 000 hectares, dans les Laurentides au Sud de La Tuque. Vallées profondes et sommets. Nombreux blocs erratiques. Conifères et quelques feuillus. Hébergement : châlets avec cuisine, habitables l'hiver. Camping. Chasse contrôlée à l'orignal et au petit gibier. Pêche, baignade, pique-nique. En hiver : ski de randonnée, raquette, motoneige.

Parc des Laurentides, 957 200 hectares, à moins de 100 kilomètres au Nord de Québec. Hautes collines arrondies couvertes de résineux. Des caribous vivent là en liberté, ainsi qu'orignaux, ours, loups et lynx. Hébergement : Auberge du Relais, pension complète en pavillon. Chalets avec cuisine; territoires de pêche réservés aux occupants de ces établissements. Quatre terrains de camping. Chasse contrôlée à l'orignal. Pêche avec ou sans héberge-ment. Canot-camping, pique-nique, sentiers d'interprétation de la nature : 10 km de sentiers balisés avec postes d'accueil et relais chauffés.

Parc de Chibougamau, 1 102 500 hectares, sur la route de Saint-Félicien à Chibougamau. Terrain relativement plat de structure composite : roches volcaniques et sédimentaires. Nombreux cours d'eau qui vont se déverser dans le lac Saint-Jean. Végétation de type sub-boréale : sapinières à bouleaux blancs, épiceas et tourbières. Y vivent l'orignal, l'ours, le caribou, le renard, la perdrix blanche; nombreuses bleuetières. Hébergement : chalets avec cuisine, deux terrains de camping, salle de casse-croûte ouverte 24 h par jour. Pêche, camping, pique-nique.

Parc de Mistassini, 2 460 000 hectares, au Nord de Chibougamau. Son centre est occupé par d'immenses lacs remplis de poissons de bonne taille. Le parc a été créé surtout pour assurer la survie des *castors* trappés par les Indiens cris qui vivent dans cette région. Forêt clairsemée et tourbières. Hébergement : chalets avec cuisine, pension complète en pavillon. A prix forfaitaires, excursions de pêche avec guide et canot-camping.

Parc du Mont Sainte-Anne, à 40 km à l'Est de Québec. C'est avant tout une importante station de sports d'hiver où se déroulent des championnats internationaux. 46 km de pistes très bien équipées en remontées mécaniques, dont une télécabine fonctionnant l'été. Nombreux services. Terrain de stationnement pour 2000 véhicules. Restauration : restaurant et bar au sommet. Ski de randonnée et raquette. En été et au printemps, excursions pédestres.

Parc de Port-Cartier, 815 300 hectares, à l'Ouest de Sept-îles. Créé autour de lacs à castors. Territoire relativement plat, très rocheux, principalement gneiss granitique. Hébergement : chalets avec cuisine, camping. Pêche avec ou sans hébergement.

Parc de Rimouski, 77 400 hectares, au Sud de Rimouski, le long de la frontière du Nouveau-Brunswick dans le massif des Appalaches. Collines ondulées avec montagnes plus élevées, peuplées d'épicéas, d'érables, de sapins et de bouleaux. On y voit des orignaux, des chevreuils, des tétras et des gélinottes. Lacs nombreux et rivières dont quelques-unes sont fréquentées par des saumons intouchables. Hébergement : chalets avec cuisine, terrain de camping. Pêche avec ou sans hébergement. Chasse au petit gibier et au chevreuil, baignade, pique-nique.

Parc de Métis. Petit domaine de 34 hectares situé en retrait de la route de Rimouski à Matane près de Mont-Joly, connu autrefois sous le nom de « Jardins Redford », du nom de l'ancienne propriétaire. Autour de sa grande villa, elle avait planté plus de 1 500 espèces d'arbustes, plantes vivaces, fleurs annuelles, plantes exotiques, aquatiques, indigènes. On visite ce parc merveilleux (droit d'entrée, tables de pique-nique).

Parc de Matane, 108 000 hectares, dans la péninsule de Gaspé à une quinzaine de kilomètres des rives du Saint-Laurent. Il est pratiquement soudé au parc de la Gaspésie qui lui fait suite, formant avec le parc Dunière un grand ensemble sur 100 km de long. Il est situé de part et d'autre de la haute crête des monts Chic-Chocs, chaîne accidentée aux vallées encaissées. Les parties hautes des sommets y dépassent 1 000 m, ne portant plus d'arbres. Le territoire est parcouru par les rivières Matane et Bonjour, refuge de saumons et de nombreux torrents à truites. Les troupeaux d'orignaux sont nombreux. Hébergement : chalets avec cuisine, terrains de camping. Chasse au petit gibier et à l'orignal, sous contrôle, avec ou sans hébergement. Pêche au saumon, pique-nique, excursions en montagne, safaris-photo.

Parc de la Gaspésie, 129 000 hectares; mêmes caractéristiques géologiques que le parc de Matane. Flore alpine. Sur les hauteurs, formations végétales subalpines et sur les sommets, toundras avec végétation de type arctique. La glaciation, de plus, a épargné certaines formations élevées qui ont conservé une partie de la flore de la période interglaciaire précédente. Une route panoramique de 88 km ceinture les monts Mc Gerrible dont le mont Jacques-Cartier culmine à 1 268 m. Une piste carossable, puis un sentier mènent à son sommet. On trouve dans ces montagnes, l'orignal, l'ours noir, le chevreuil et le caribou. Hébergement : service complet d'hôtellerie au gîte du Mont-Albert, relais gastronomique, chalets avec cuisine. Deux terrains de camping. Pêche avec ou sans hébergement, notamment saumons. Centre d'information et d'accueil; ses moniteurs guident les excursionnistes.

Parc de Port-Daniel, 6 400 hectares, au nord de cette ville sur la baie des Chaleurs. Collines et montagnes; dans la vallée coule la rivière de port-Daniel. La chasse est interdite, mais on peut pêcher le saumon. Hébergement : chalets avec cuisine, terrain de camping. Pique-nique, baignade.

Parc de l'Ile-Bonaventure, 4 100 hectares au large de Percé. Refuge des oiseaux de mer, dont 50 000 fous de Bassan, espèce fort rare dans le monde. On atteint l'île au départ du quai de Percé. Pique-nique. Observation des oiseaux.

Auberge de Fort-Prével, hôtellerie avec relais gastronomique réputé, surtout par ses fruits de mer. Dans le parc qui borde la mer, golf, tennis, plage.

Cette auberge et le gîte du Mont-Albert servent de centre de formation hôtelière à l'Institut de tourisme et d'hôtellerie du Québec. Des étudiants de cet institut y font des stages pratiques pendant l'été.

La réservation pour ces parcs est centralisée à *Québec*, à la *Direction des parcs.* Case postale 8888. On peut réserver par téléphone et obtenir des renseignements, en appelant de Québec au numéro 643.5349, de *Montréal* au numéro 873.5394, des autres villes au numéro 1.800.462.5349. Ce service publie une brochure donnant, pour chacun des parcs, les tarifs très raisonnables des chalets avec ou sans pension et des divers services offerts. Le gouvernement fédéral a ouvert quelques parcs au Québec dont le **parc national de la Mauricie** (entre les parcs provinciaux du Saint-Maurice et de Mastigouche) : canotage, pêche, camping, sentiers de promenade et d'interprétation de la nature.

Le parc de Forillon à l'extrémité de la Gaspésie, camping, pêche, pique-nique. En hiver : ski de promenade et raquette.

Un ami de Teddy

Sur le Cap Diamant, Québec

A Québec

Le choc de Québec

Pour avoir le vrai choc du Canada français, partez immédiatement pour la ville de Québec. L'avion, le train, l'autocar vous y mènent. De Montréal, c'est à trois heures par une autoroute tracée au cordeau dans un paysage monotone et plat, fait de boisés, de landes et de quelques pâtures. Vous arrivez au nouveau pont suspendu qui vous ramène sur la rive nord du Saint-Laurent. Avant de le franchir, un rapide coup d'œil à droite sur les chutes bouillonnantes de la rivière Chaudière. Vous voici bientôt sur le boulevard Laurier, prolongé par la Grande-Allée : centres d'achats immenses, hôtels, motels annoncent déjà le caractère touristique de la ville; le grand campus de l'Université du Québec, sa longue vocation universitaire. Les bâtiments où sont somptueusement logées compagnies d'assurances et grandes entreprises, disent son importance économique. De riches et nombreuses églises et couvents témoignent d'un passé très catholique. Le domaine du lieutenant-gouverneur général marque son privilège de capitale. Voici d'ailleurs le Palais législatif qui abrite le Parlement. (Immeuble construit en 1883, il est bien de son époque). Il apparaît entouré de modernes tours de béton où sont installés les bureaux des ministères québécois. Côté du fleuve, les bâtiments militaires, les fortifications et les « Plaines » d'Abraham nommées d'après le prénom d'un vieux fermier de l'endroit où en 1759, le sort des armes fut contraire à la France.

On passe sous une porte de pierre, ouverte dans le rempart. On se trouve dans le Vieux Québec. Une ville qui n'a pas son pareil sur tout le continent nord-américain. Rues sinueuses, souvent étroites, ne se coupant pas forcément à angle droit, portant des noms tels qu'avenue d'Auteuil, rue des Remparts, côte de la Fabrique, bordées de maisons de pierre à hautes façades, volets de bois, toits à fortes pentes

*chargés de lucarnes. Des petits restaurants à ter-
rasses, des bistrots, des boutiques d'artisanat;
conduites par de jeunes cochers, la plupart étudiants
ou étudiantes, des calèches mènent par les rues
pavées des touristes américains, ébahis de voir dans
leur partie du monde, une ville si peu américaine.
Toutes les inscriptions sont françaises, à part
quelques-unes qui, dans leur langue, souhaitent
discrètement la bienvenue aux vacanciers anglophones. Charme d'une vieille ville dans une province
française d'autrefois. Vie calme, ponctuée par les
cloches de couvents qui sonnent les heures. On
aboutit à la statue de Champlain qui tient son chapeau de bronze vert à la main, à cause, dit-on ici, du
grand vent qu'il fait sur le bord de la falaise, à l'ombre
d'un immense hôtel-château.*

*C'est à cet endroit que commence la longue et large
terrasse de bois qui domine le fleuve. Accoudé à la
lisse, on aperçoit en contre-bas les maisons de la
Basse-Ville (un funiculaire y conduit), le port. Sur le
Saint-Laurent passent les grands navires qui vont ou
viennent de l'Océan à la pointe des Grands Lacs,
située à Duluth (Minnesota) à quelque 3 500 kilomètres de l'entrée du golfe du Saint-Laurent. Les
« traverses », chargées de passagers et de voitures,
font leur va-et-vient continuel vers la ville de Lévis,
située sur la rive Sud. La vue s'étend, admirable, de la
Côte de Beaupré et l'île d'Orléans jusqu'aux hauteurs
qui ourlent dans le lointain le rivage opposé. Vols de
goélands, mugissements de sirènes, remplissent l'air.
Vu du fleuve, Québec a une autre allure. On est saisi
par la masse du haut promontoire, le Cap Diamant
sur lequel est bâti la ville. Se détachant sur un ciel
toujours haut, le clocher du vieux séminaire, la flèche
de la basilique Notre-Dame, les nouveaux gratte-ciel,
la haute masse du Château-Frontenac et la forteresse
construite à plus de cent mètres au-dessus des eaux.
Sur la Citadelle qui appartient toujours à l'armée,
flotte en permanence, blanc et rouge, timbré de la
feuille d'érable fédérale, le drapeau du Canada.*

*Ici, c'est le berceau de la civilisation française en
Amérique. Ici également est né le Canada.*

*La capitale du Québec, prolongée par ses quartiers
résidentiels et ses banlieues, veut cesser d'être le
Dysneyland touristique des Américains ou Canadiens
anglais, à la recherche d'un « french taste » sur le
continent, pour devenir aussi importante que sa rivale
traditionnelle : Montréal.*

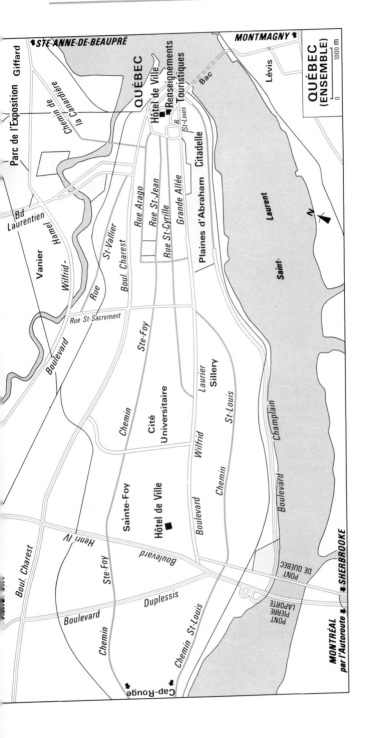

De l'usage de Québec

Hôtels et restaurants

Capitale touristique de la Province, Québec compte un grand nombre d'hôtels, motels et pensions. Parmi les grands, le somptueux **Château-Frontenac** (à condition d'obtenir une chambre qui donne sur le fleuve), le **Concorde** (son restaurant est célèbre surtout parce qu'il pivote au sommet de la structure de béton sur laquelle il est posé), le **Hilton**, les deux **Holyday Inn,** les deux **hôtels** des **Gouverneurs** (le plus ancien, à l'entrée de la ville est un super-motel). Pour le calme : l'**auberge Nouvelle-Orléans,** le **Quality Inn,** mais rien ne vaut, si vous savez y trouver de la place, le charmant **Manoir d'Auteuil.**

Dans la ville, une quarantaine de bons restaurants. Parmi ceux qui se tiennent dans le peloton de tête *(Cuisine canadienne française, très beau décor) :* **Les Anciens Canadiens,** 34 rue Saint-Louis. **La Traite du Roy,** 25 rue Notre-Dame (complété par une des bonnes discothèques de la ville). **L'Ancêtre,** 17 rue Couillard. **Le Vendôme,** 36 côte de la Montagne. **Chez Rabelais,** rue Petit-Champlain.

Théâtre

Le nouveau théâtre de la ville vaut une visite et une soirée : la programmation est très variée : musique symphonique, opéra, ballet, danses folkloriques, récitals de « chansonniers ».

Vos promenades à Québec

Bien sûr, visiter la ville. A pied ou en calèche

Itinéraire : celui décrit plus haut, de la Grande-Allée à la Terrasse Dufferin.

Au passage, une halte à l'angle de la rue du Fort et de la rue Sainte-Anne, à l'édifice qui abrite le *bureau du Tourisme provincial.* On y renseigne fort aimablement les touristes et on les munit de dépliants, prospectus et plans de la ville et de la région.

Vos pas vous mèneront vers **la Terrasse** qui est la promenade attitrée des gens de Québec. Elle est bordée de kiosques à musique très 1900. En la longeant vers l'ouest, outre le panorama grandiose, vous y verrez l'*hôtel Château-Frontenac* construit dans le mode Renaissance tourangeau, mais écrasé par un colossal beffroi quadrangulaire coiffé de cuivre vert. Il est construit à l'endroit où *Louis de Frontenac,* gouverneur de la Nouvelle-France, avait bâti son castel. De charmantes et vieilles maisons

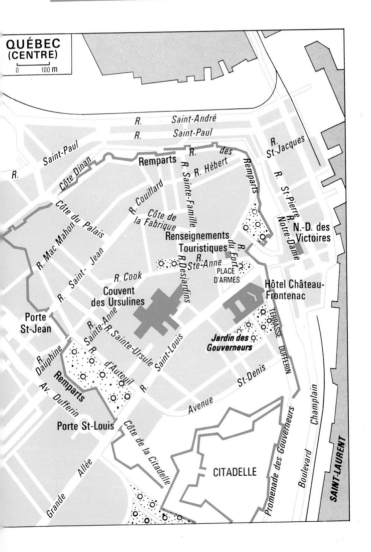

QUÉBEC
(CENTRE)
0   100 m

bordent la terrasse, dotée d'une triple piste pour
toboggans et prolongée par la Promenade des gouverneurs, dont les escaliers de bois mènent à la
Citadelle. Si vous préférez aller vers le bas, par le
funiculaire, les escaliers ou la Côte de la Montagne,
vous gagnez la Ville-Basse.

Tant de choses à voir

La charmante et vieillote **église Notre-Dame-des-
Victoires** (1688, mais brûlée, reconstruite, restau-
rée) et pourtant témoin irrécusable de la France de
Louis XIV; d'ailleurs le buste de ce roi orne cette
place Royale, bordée d'antiques demeures qu'on

Les plaines d'Abraham : ici la France a perdu le Québec

rénove avec soin. L'église a été bâtie à peu près à l'endroit où Champlain avait construit « l'Abitation », première demeure française en terre d'Amérique. On se doit d'entrer dans la **maison Chevallier**, transformée en musée; la **maison Fornel**, centre d'information et de renseignements sur le vieux Québec; la **maison Dumont** où la S.A.Q. propose ses meilleurs vins et alcools; la **maison Le Picard**, centre d'accueil; les **maisons Leber-Amiot, Charest et St-Arnaud** (restaurant de fruits de mer et discothèque).

La petite **rue Sous-le-Cap,** l'artère la plus étroite de toute l'Amérique; les artisans de la *Ville-Basse*.

En remontant vers les parties les plus hautes de Québec, **la Citadelle,** connue en son temps sous le nom de Gilbraltar du Nouveau-Monde. C'est une place forte telle que les Anglais la concevait au XIXe s. On y visite un musée militaire. Attraction quotidienne durant l'été, matin et soir : la relève et la retraite de la garde. C'est, avec accompagnement de roulements de tambours, dans le strict cérémonial de l'armée britannique, l'impeccable parade de militaires en tuniques rouges, pantalons noirs et bonnets à poil. Les commandements sont donnés en français, car il s'agit des soldats du célèbre 22e régiment, les « Vandoos », créé en octobre 1914, afin que les Canadiens français se sentent un tout petit peu chez eux dans

l'armée anglaise et puissent apporter, au cours de plusieurs guerres, un témoignage de leur légendaire courage.

Le **Parc des champs de bataille** ou « **Plaines** » **d'Abraham,** verdoyant domaine qui surplombe le Saint-Laurent. Souvenez-vous alors de la bataille de septembre 1759, le Waterloo du général Montcalm tué ici en même temps que Wolfe qui commandait les troupes anglaises, arrivées au sommet de cette falaise, grâce, dit-on, aux renseignements d'un traître.

Là, se trouve le **Musée du Québec** (collection de peintures, de sculptures, arts et traditions populaires, faune et flore). Sur « la colline parlementaire », comme disent les Québécois, le **palais de l'Assemblée nationale** (des visites guidées sont organisées en dehors des sessions) vaut au moins qu'on en fasse le tour. De là, on peut, via le *parc de l'Artillerie* (kiosque d'information et édifices anciens), visiter l'**Hôtel-Dieu** (le plus vieil hôpital du continent nord-américain) et son musée...

Parmi les autres musées de la ville : celui du *Fort* (près de la statue de Champlain), présente une sorte de spectacle Son et Lumière qui évoque toutes les batailles que la ville a connues. Celui du *couvent des Ursulines* (l'immeuble date de 1641). Un musée très

Dans les fortifications de Québec : la porte Saint-Louis

vivant, la très courte *rue du Trésor,* au cœur du vieux Québec ; de jeunes artistes québécois y vendent en plein air leurs œuvres : peintures, aquarelles, lithographies, artisanat.

La visite de la ville par les petits autobus touristiques, les promenades en calèche, les excursions Sonoretour (un système d'enregistrements portatifs offrant explications et musique folklorique), les virées à bicyclette si l'on a de bons mollets pour grimper les côtes (vélos à louer chez Cyclo Tour, au coin de la Grande Allée et de la rue Taché), les ballades en bateau. Québec vu de haut (la compagnie Red Carpet propose des vols de 15 mn au départ de l'aéroport de Sainte-Foy). Les bureaux touristiques, provincial ou municipal vous offriront toute la documentation sur ces possibilités ainsi que la liste des hôtels et des restaurants avec leurs prix.

A voir aussi : l'**Université Laval.** L'ancienne et la nouvelle. La première, née du vieux séminaire de Québec fondé en 1663 par le premier évêque de la ville, Mgr de Montmorency-Laval, a prospéré dans la vieille ville puis a émigré vers l'Ouest, dans la banlieue, à *Sainte-Foy,* où ses bâtiments modernes construits dans un grand parc accueillent chaque année quelque 10 000 étudiants à plein temps, sans compter ceux qui l'été viennent suivre des cours (visites organisées sous la conduite de guides-étudiants).

A ne pas manquer : pour les amateurs de photo, une promenade sur le fleuve par la *« traverse »* (ainsi appelle-t-on le bac qui relie Québec à Lévis).

Québec en hiver

Si vous venez à Québec en hiver, vous serez sous le charme d'une ville très blanche (située plus au nord que Montréal et assez bien placée dans la « snowbelt », l'hiver canadien la marque durement). Les gens de Québec ont su transformer cette disgrâce en valeur. Ils ont inventé un *Carnaval,* réplique nordique de celui de la Nouvelle-Orléans. Pendant dix jours, de joyeux viveurs envahissent la basse-ville. Certains portent des cannes creuses dans lesquelles, afin de braver le froid, ils transportent leur ration de whisky blanc. Le symbole vivant de ces réjouissances fort rabelaisiennes est le bonhomme Carnaval, un immense et jovial bonhomme de neige, doué de la parole, portant tuque et ceinture fléchée. Entouré d'une cour de jolies filles, choisies parmi les plus belles de la ville, il parcourt son domaine en traîneau, participant à toutes les festivités : bals, tournois de patinage, matchs de hockey, inauguration de palais

en blocs de glace, de sculptures de neige durcie, défilés, concerts populaires, courses de canots dans l'isthme à demi gelé, repas monstres et activités spontanées d'une foule costumée, toujours prête à rire, danser, applaudir et boire. Si vous voulez participer à ce Carnaval, retenez à l'avance votre chambre d'hôtel, sinon il sera difficile de vous loger.

Pour le reste de l'année, Québec a inventé d'autres sortes de manifestations : un festival d'été et diverses manifestations francophones internationales dont la Foire du Livre.

Autour de Québec

Si vous disposez de peu de temps pour visiter la ville, prenez place à bord des autocars qui offrent des tours de ville commentés par des guides bilingues et menant aussi aux environs de la ville.

Vous pouvez également, du 1er juin au 10 septembre, faire une mini-croisière dans les eaux du Saint-Laurent. Le *« M/V Duc d'Orléans »*, pourvu d'un pont couvert et d'un bar, propose quotidiennement plusieurs excursions des ponts de Québec à Sainte-Anne-de-Beaupré. Le quai d'embarquement se trouve face à la place Royale.

Près de Québec, le pèlerinage de Sainte-Anne

Par la route qui suit la côte en direction Nord-Ouest, vous verrez la *chute de la rivière Montmorency* qui tombe de la falaise dans le fleuve d'une hauteur de 83 m (on se plaît à dire à Québec que c'est une fois et demi plus haut que les Chutes Niagara, sans préciser que la chute québécoise est infiniment moins large). Au pied de la cataracte sont aménagés des parcs dotés de tables de pique-nique. En continuant sur la Côte-de-Beaupré il s'y trouve de très anciens villages où se sont établis les premiers colons français — on atteint **Sainte-Anne**, célèbre lieu de pèlerinage (a 23 ml de Québec ou 37 km). Déjà en

131

1650, des marins bretons venaient y célébrer la « bonne Sainte-Anne ». On visite aujourd'hui l'énorme basilique moderne, des musées consacrés à la sainte, les inévitables boutiques d'objets de piété et un diorama qui évoque de façon réaliste la ville de Jérusalem le jour du Crucifiement. Cette illusion est donné par un colossal tableau circulaire (hauteur : 14 m, circonférence : 110 m), où sont représentés des milliers de personnages, chef-d'œuvre dans le genre « kitsch » pour amateurs de chromos géants.

Le parc du Mont Sainte-Anne, autour d'un des sommets (800 m) des Laurentides, offre de belles vues sur les deux rives du Saint-Laurent et l'île d'Orléans. On utilise l'été, pour se rendre au faîte, les télécabines. En hiver, les pentes sont recherchées par les bons skieurs en raison de la qualité de la neige et des installations. Là, ont lieu des compétitions internationales. D'autres centres de villégiature toutes saisons se trouvent au nord de Québec, sur les pentes des Laurentides autour du lac Delage et du lac Beauport. A ne pas manquer à ce dernier endroit, un repas à *l'hôtel Manoir Saint-Castin.*

L'île d'Orléans

Un « must » comme disent les Anglais. Située (à 5 ml ou 8 km) en aval de Québec à l'endroit où le fleuve s'élargit, l'île est une grande terre plate, agricole et maraîchère. Sur son sol fertile, les premiers Français, des Normands et leurs descendants, ont bâti des maisons de pierre ressemblant à celles qu'ils avaient quittées de l'autre côté de l'Atlantique, construit des petites églises toutes simples remplies de boiseries délicatement sculptées et d'ex-voto nautiques. Ils ont planté des pommiers et autres arbres fruitiers. La fraise vient bien dans ce petit terroir.

Une route longue de 67 km permet d'en faire le tour, de visiter les tranquilles villages installés le long du Saint-Laurent.

On trouve dans l'île des parcs de camping, un centre d'art (théâtre et expositions), un théâtre d'été, des ateliers d'artisans. Une vieille ferme, du village de Sainte-Famille, reçoit dans son cadre ancien les amateurs de cuisine locale. C'est le *restaurant « l'Atre ».* On laisse sa voiture sur le terrain de stationnement pour se rendre au restaurant au trot d'un cabriolet à deux roues, conduit par le valet de ferme. D'autres serviteurs en costume paysan présentent les mets, le cidre et le pain qui sort tout chaud et parfumé du four à bois, dans la grande tradition québécoise.

Aux abords de Québec,
si vous voulez voir :

● *Des Indiens :* allez dans la proche banlieue à l'**Ancienne-Lorette** dans le *quartier huron.* Vous pourrez visiter leur vieille chapelle et leurs magasins d'artisanat (c'est le moment d'acheter une paire de raquettes). Là, le chef Max « Oné-Onti » Gros-Louis, vous dira dans sa langue : « Kwe », ce qui veut dire bienvenue. Il parle surtout un excellent français et est l'auteur, entre autres, du livre « Le Premier des Hurons ». Il y raconte le destin des membres de sa tribu, expose leurs aspirations et leurs ressentiments : « Hommes blancs, quand vous êtes arrivés ici, vous aviez vos missels et nous avions nos terres, aujourd'hui, nous avons vos missels, et vous possédez nos terres ».

● *De vieilles pierres :* l'ancienne maison des Jésuites à *Sillery* (fondations de la première église en pierre bâtie au Canada en 1644).

● *Des animaux sauvages :* Québec possède un aquarium renommé, un jardin zoologique à *Orsainville.*

● *Un navire d'autrefois :* au confluent des rivières Saint-Charles et Lairet, dans le *parc Cartier-Brébeuf* est ancrée la réplique exacte du vaisseau amiral de Jacques Cartier : *« La Grande Hermine ».* Ce bâtiment, une des attractions de l'exposition de 1967, peut être visité, il donne une juste idée de ce qu'était un transatlantique au XVIe s.

A Montréal

Le voyageur qui ne connaît rien de la ville doit se
rendre au bureau d'accueil du Ministère du tourisme,
à l'arrière de la terrasse Ville-Marie. Ou au bureau de
la ville de Montréal, près de l'hôtel de ville, 85 est,
rue Notre-Dame. On lui fournira force documentation. Et notamment des plans.

On voit sur la carte que l'île de Montréal a la forme
d'un grand poisson qui nage en plein fleuve, entouré
d'autres poissons plus petits, c'est-à-dire d'autres
îles.

Vu d'avion, tout est encore plus flagrant : au centre
d'une longue plaine, Montréal apparaît dans un vaste
élargissement du Saint-Laurent, là où son principal
affluent, la rivière Outaouais, le rejoint, formant un
des plus grands deltas intérieurs du monde.

Vers l'amont, ces eaux qui entourent la ville comportent de forts courants et des haut-fonds qui ont
toujours empêché embarcations et navires d'aller
plus à l'ouest. Il fallait nécessairement mettre pied à
terre. C'est ce qu'a fait Jacques Cartier, le premier
touriste dont l'histoire garde le nom, lorsqu'en 1535 il
a exploré cette partie du Canada. Il a rencontré là,
dans un village appelé Hochelaga, des Hurons,
établis en ce lieu stratégique où les canots devaient
être échoués et portés au-delà des rapides. Déjà
Montréal avait son rôle de centre de transbordement,
aujourd'hui marqué par son grand port de commerce
et l'entrée de la Voie maritime du Saint-Laurent.

Au cœur de la ville, on remarque aussi le Mont-
Royal, masse rocheuse de 229 m d'altitude qui
s'étend sur une superficie de 10 km carrés : soulevés
à l'ère primaire par des jets de lave, ces rocs ont été
ballonnés par le temps.

On a raconté comment, au pied de ces formes
massives et boisées, Champlain a compris que c'était
le lieu idéal pour bâtir une cité, Ville-Marie qui allait
devenir Montréal. Ce fut longtemps une petite ville

coloniale qui a vécu du commerce, grâce à sa situation au bord de tant d'eaux.

La navigation à vapeur, le premier chemin de fer en 1837, l'industrialisation rapide, ont donné l'essor à la ville qui s'est entourée de canaux, de voies ferrées, de routes menant dans toutes les directions, vers tous les points du continent nord-américain.

La ville, grande mangeuse d'espace, s'est étendue sans cesse à travers l'île et sur les rives du fleuve, se soudant aux banlieues vertes et industrielles, suscitant à ses frontières de nouvelles zones à urbaniser, allongeant son front de mer à l'infini, bordé d'entrepôts, d'usines et de raffineries. La grande agglomération est parcourue jusqu'au centre par des réseaux d'autoroutes raccordés au grand réseau transaméricain. Ce système de voies rapides permet, au départ du carrefour le plus achalandé de Montréal, d'être à deux feux rouges de Times Square à New York, d'aller si l'on veut d'une traite vers Los Angeles, Vancouver, Miami ou le Mexique.

Au centre de la ville, on érige sans arrêt de nouveaux gratte-ciel destinés au commerce ou à l'habitation. Pour permettre aux foules de circuler plus vite, on a construit le métro, qui petit à petit va desservir tous les secteurs de la ville. Les trains, montés sur pneumatiques, sont rapides. Les constructeurs ont confié à des équipes d'architectes et d'artistes le soin de dessiner chacune des stations, de choisir librement volumes, formes, matériaux et couleurs.

De l'usage de Montréal

Des transports pour tous

Montréal et les municipalités de l'île possèdent un système intégré, *métro* et *autobus,* de transports en commun. Récent, le métro de Montréal a l'inconvénient de posséder un réseau encore peu étendu. Une ligne Nord-Sud, parallèle à la rue Saint-Denis, traverse l'île; son terminus dans le « bas de la ville » : la station Bonaventure. Une autre ligne, bordant la rue Maisonneuve, dessert le centre commercial d'ouest en est et permet de se rendre au Centre olympique. Ces deux branches se coupent à la station Berri-Demontigny, important et unique point de correspondance. De là, part aussi la ligne no 4 (il n'y a pas pour l'instant de ligne no 3) qui passe sous le fleuve, avec une station dans l'île Sainte-Hélène et un terminus à *Longueuil,* grande ville de la banlieue Sud.

Le réseau de surface comprend plus de 200 lignes d'autobus (voitures confortables, bien éclairées et bien chauffées en hiver). Le tarif actuel est de 50 cents. Dans les autobus, il faut jeter dans la boîte de verre, près du conducteur, cette somme en pièces de 25, 10, 5 cents. Attention, le conducteur ne fait pas la monnaie et ne vend pas de billets. Vous pouvez aussi mettre dans sa boîte un ticket acheté en carnet (13 pour 5 $) dans une station de métro ou chez un marchand de journaux ou autre dépositaire autorisé.

Dans le métro, le préposé au guichet vend des carnets. On peut payer aussi en monnaie. Si l'on possède un billet, on passe directement par le tourniquet automatique. Des réductions sont prévues pour les écoliers et collégiens et certaines personnes âgées. Les enfants de moins de cinq ans, accompagnés, ne paient pas.

Sur le réseau de la Communauté urbaine de transports, il est permis de passer d'un véhicule à l'autre, à condition que ce soit pour un trajet unique et ininterrompu, par la route la plus directe et la plus courte. Des fiches de correspondance sont disponibles à cet effet.

Montréal compte plus de 4 000 taxis. En principe, ils devraient attendre les clients ou les appels radiotéléphoniques aux points d'arrêts signalés par une pancarte aux carrefours les plus achalandés. En fait, le chauffeur de taxi, le Montréalais le plus indépendant qui soit, préfère, afin de gagner sa vie, marauder au long des trottoirs. Il est quelquefois Québécois « pure laine » et raconteur d'histoires savoureuses. C'est, la plupart du temps, un Néo-Canadien parfois fraîchement arrivé, qui s'efforce de bien connaître la grande ville et ses mystères et sa langue principale. C'est peut-être aussi un étudiant qui gagne ainsi ses frais d'inscription.

Le taximètre tourne vite à Montréal et la prise en charge est élevée. Le pourboire est facultatif mais il est bon d'ajouter au moins 10 % au prix de la course. Si l'on est seul et qu'on veuille faire la conversation, on peut s'asseoir à côté du chauffeur. Les taxis rendent de grands services. Jour et nuit, on peut les appeler par téléphone, leur confier des commissions. Les chauffeurs mettent leur honneur à transporter leurs clients même au cœur des pires tempêtes de neige (si toutefois on arrive à en trouver un). Entre Dorval et la ville, le client doit payer un supplément. Entre Mirabel et la ville, la course est de 25 dollars environ.

Autres moyens de se promener en ville : les *calèches* hippomobiles que l'on trouve, principalement l'été, *au carré Dominion, sur la Montagne* ou dans le *vieux Montréal*.

Pour le voyageur disposant de peu de temps, il existe des excursions en *autocar,* ceux de la « Gray Lines », de la « Murray Hill » et de la C.T.C.U.M. Ils partent du

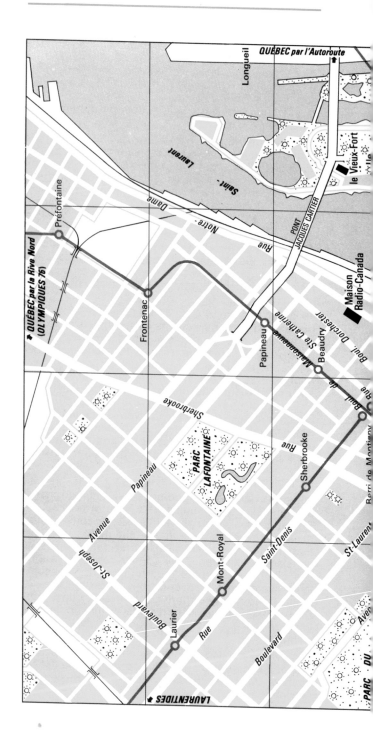

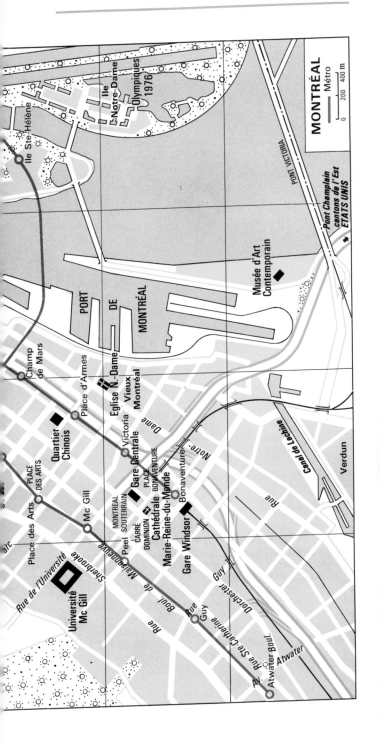

carré Dominion et des *principaux hôtels du centre de la ville.* Les chauffeurs des autobus des deux premières entreprises, habitués aux touristes canadiens anglais ou américains, donnent, dans la langue de Hemingway, des explications destinées à plaire à leurs auditeurs ou à les amuser. Les conducteurs-guides de la C.T.C.U.M. dans les autobus « Promenade » sont moins démagogiques et bilingues.

Les hôtels

Montréal ne manque pas d'hôtels en temps normal. Mais les périodes de pointe touristique, tels les Jeux olympiques, arrivent vite à remplir les quelque 15 000 chambres d'environ 100 motels et hôtels de la ville et de la banlieue.

Où loger? dans un hôtel du genre « simple », qui ait un certain cachet local, exemple : **l'hôtel Iroquois,** pl. Jacques-Cartier. Prix pour une personne 8 à 10 dollars; pour deux 10 à 18 dollars. Dans la catégorie au-dessus, vous avez le choix entre un motel urbain, dans la périphérie, tel le **Seaway Capri :** 6445, bd Décarie, une personne $ 20,50 à $ 21,50; pour deux $ 26,50 à $ 37. Ou encore, dans le centre de la ville, un ancien « grand hôtel », désuet et encore charmant, par exemple le **Queen's,** 700 rue Peel : pour une personne $ 18 à $ 22; pour deux : $ 24 à $ 28. Le **Laurentien,** dans le district central : pour

une personne $20 à $26, pour deux $28 à $32, est relativement confortable. Même confort, par exemple, au **Royal Roussillon,** 1610 rue Saint-Hubert, bien placé près de la gare des autocars, mais qui déjà est « dans l'est ». On vous y demandera de $10,50 à $19,50 pour une personne ou pour deux. Un motel, en dehors de la ville, dans la même catégorie de confort affiche des prix, pour une personne de $15 à $30 et pour deux de $18 à $35.

Le **Berkeley,** bon hôtel du centre-ville, sur la rue Dorchester, dans lequel chaque chambre est dotée d'une salle de bain attenante, qui offre un bon restaurant et d'autres commodités, demande pour une personne de $28 à $38 et pour deux de $32 à $40.

Le **Holiday Inn,** 420 ouest, rue Sherbrooke, hôtel de très bon confort, avec chambres spacieuses, piscine intérieure, bonne salle à manger, bars raffinés, offre des chambres pour une personne de $29 à $31 et pour deux de $36 à $38.

Dans la catégorie supérieure, le **Bonaventure,** service et confort de grand luxe, demande pour une personne de $45 à $56, pour deux de $53 à $64. Dans la même veine, très bien situé, le **Château-Champlain** est un peu moins cher, le **Queen Elizabeth** est du même ordre ainsi que **Le Méridien,** 4 complexe Desjardin.

Le meilleur de tous et le plus prestigieux, le **Ritz Carlton** a les tarifs suivants : une personne $ 40 à $ 44 et deux $ 48 à $ 52.

Tous ces prix s'entendent par jour et ne comprennent ni le petit déjeuner, ni les repas. Taxe et services en sus.

Si vous devez loger en dehors de Montréal, sachez qu'à confort égal, vous paierez évidemment moins cher ; l'inconvénient d'avoir un long trajet à faire pour vous rendre en ville peut être compensé, si vous habitez dans une station touristique, par l'agrément de pouvoir disposer de terrain de golf, courts de tennis, centre d'équitation, piscine chauffée, dans un agréable environnement.

En dehors des hôtels proprement dits et des motels de la périphérie, dotés du confort nord-américain, existent les *« Tourist homes »* ou maisons de touristes qui proposent, à des prix très raisonnables, de très bonnes chambres. Les services qu'on y offre sont bons et leur simplicité est rachetée par la chaleur de l'hospitalité. Les prix pour une personne varient de $ 5 à $ 32 ; pour deux personnes de $ 8 à $ 37, selon le confort, la grandeur des chambres et la situation de l'établissement par rapport au centre de la ville. **Héquo 76,** suggère également des chambres en *résidences privées.* Pour une personne de $ 9 à $ 19 ; pour deux de $ 14 à $ 24. On peut aussi louer un appartement complet pour $ 20 à $ 70 par jour.

Pour ceux qui veulent dépenser moins, 10 000 lits sont disponibles dans des *institutions d'enseignement.* On y trouve des dortoirs, des chambres à coucher dans lesquelles peuvent loger une à trois personnes. Pour une personne, $ 5 à $ 15 ; pour deux, $ 10 à $ 17.

Les conditions de logement sont à peu près les mêmes dans les *auberges de jeunesse* de Montréal et de ses environs. Les prix varient de $ 1 à 4 selon la grandeur des dortoirs et les commodités mises à la disposition des hôtes.

Dans un genre un peu plus sportif, il y a la solution du *terrain de camping,* pour qui possède l'équipement nécessaire. Les prix varient de $ 3 à $ 8.

En dehors de la saison touristique ou olympique, les prix peuvent être réduits du tiers durant les mois d'octobre à avril, encore que les grands établissements ne varient guère leurs tarifs.

Les restaurants

Ce qui, en général, est vrai pour l'ensemble de la restauration au Québec (voir page 78), l'est encore plus pour Montréal.

L'éventail des possibilités est largement ouvert. En dehors des multiples établissements où l'on sert des « repas légers » (snack) ou du « casse-croûte » élémentaire, existent dans le grand Montréal, environ 300 restaurants de types très variés.

L'addition que vous aurez à payer pourra vous étonner, compte tenu de la qualité des mets, du décor et du style, du service, par sa modicité ou son exagération. Rappelez-vous qu'entre midi et quatorze heures est offert le menu « d'hommes d'affaires » à prix raisonnable. Le soir après dix-huit heures, les plats du midi sont plus chers (plus copieux aussi). N'oubliez pas la distinction entre « table d'hôte » et « à la carte ». Tenez compte des « suppléments ».

N'oubliez pas qu'une taxe de 8 % s'applique à toute addition supérieure ou égale à 1 $ 50. Que le pourboire est parfois ajouté à la note; sinon, il faut tabler sur 10, 12, 15 % en plus.

Certains restaurants (surtout ceux qui sont installés au sommet des gratte-ciel), certaines salles à manger d'hôtel proposent des « buffets ». On y trouve pour un prix fixe de $ 5 à $ 10 des plats très variés et abondants (notamment saumon frais et homards). Le vin, non obligatoire, est en sus.

Les restaurants se trouvent surtout dans le district central et dans le vieux Montréal. Une brochure distribuée gratuitement par le *Service des relations publiques de la ville de Montréal* contient la liste des restaurants classés en quatre catégories : repas de moins de 4 $ par personne, de moins de 6 $, de moins de 8 $, de plus de 8.

L'exposition de 1967 a mis à la mode les cuisines étrangères. Ainsi aux restaurants canadiens, français, italiens et chinois qui existaient traditionnellement, se sont ajoutés des établissements qui servent de la cuisine allemande, pakistanaise, argentine, irlandaise, espagnole, japonaise, etc. Aucun restaurant dans la classification ne se réclame de la cuisine britannique.

Nous l'avons déjà dit, la situation très changeante dans la restauration ne permet guère de donner sans crainte des adresses. Il existe tout de même de bons endroits sûrs.

Dans le genre très cher et excellent; un souper coûte plus de 50 $ pour deux personnes avec vin (le plus souvent ces restaurants ont obtenu le droit d'importer leurs vins sélectionnés) :

Chez Bardet, 591 est, bd Henri-Bourassa (tél. 381.1777). Cuisine classique française très riche. Excellent service (fermé le dimanche).

Le Saint-Amable, 188 rue Saint-Amable (tél. 866.3471). Cuisine fine et originale. Service lent, cadre charmant.

La Saulaie, 1161 bd Marie-Victorin, **Boucherville** (tél. 655.0434). Dans un parc de la rive sud. Excellente table. Très bon service (fermé le dimanche).

Les salles à manger d'hôtels. Les grands établissements ont traditionnellement d'excellents restaurants. Ainsi le **Ritz-Carlton,** possède-t-il quatre salles, dont une se prolonge dans un jardin fermé. La réputation culinaire n'est plus à faire. Le service de grande classe; les prix aussi. Le **Château-Champlain** (le Neufchatel), **l'hôtel Bonaventure** (Le Castillon), le **Holyday Inn** de la pl. Dupuis (Le Chateaubriand), le **Reine-Elizabeth** (le Beaver Club) sont d'excellents endroits. (A éviter : les restaurants du Windsor et du Sheraton-Mount-Royal.)

Dans le genre excellent et moins cher :
Chez son Père, 5316 av. du Parc (tél. 272.8224).
La Mère Michel, 1209 rue Guy (tél. 934.0473).
Chez Pierre, 1263 rue Labelle (tél. 843.5227).
Les Halles, 1450 rue Crescent (tél. 844.2328).
Le Vert Galant, 1425 rue Crescent (tél. 844.4155).
Café Martin, 2175 rue de la Montagne (tél. 849.7525).
Hélène de Champlain, Ile Sainte-Hélène (tél. 872.2373) ; très bonne cave.

Dans le genre québécois :
Les Filles du Roy, 415 est, rue Saint-Paul (tél. 849.8556).
Le Vieux Saint-Gabriel, 426 rue Saint-Gabriel (tél. 878.3561).

Dans le genre haut situé :
L'Escapade, tout en haut du Château-Champlain.
Altitude 737, au sommet de la pl. Ville-Marie.
(ces deux restaurants qui offrent une vue sur la ville, agrémentent aussi le souper de musique; on peut y danser devant les merveilleux buffets).
Autre restaurant avec attractions : **Le « Caf'Conç »** du **Château-Champlain,** spectacles de « la Belle Époque ».

Dans le genre fruits de mer :
Le Bluenose, galeries souterraines de la place Ville-Marie.
La Marée, pl. Jacques-Cartier (tél. 861.9794).
Delmo, 215 ouest, rue Notre-Dame (tél. 849.4061).
Pauzé, 1657 ouest, rue Sainte-Catherine (tél. 932.6118).

Dans le genre Delicatessen :
Schwartz, 3895 rue Saint-Laurent (tél. 842.4813).
Moishe's, 3961 rue Saint-Laurent (tél. 845.3509).

Ces établissements et ceux du même genre servent aussi d'excellentes grillades sur planche de bois.

Il y a aussi à Montréal un grand nombre de restaurants régionaux. Certaines maisons ont une belle et juste réputation : ainsi, dans le genre italien : **Magnani**, la **Trattoria Trestevere**, l'**Osteria dei Panzoni**.

Dans d'autres styles : le **Mas des Oliviers**, le **Saint-Tropez**, le **Castel du Roy**, certains établissements de la « chaîne Louis Tavan ».

Dans le genre chinois : le restaurant **Sun Sun** et le restaurant **Sunya**. Voyez aussi les Japonais, les Espagnols, les Latino-Américains, etc.

Essayez aussi, au moins une fois, le restaurant classiquement canadien ou « petit-restaurant-du-coin » (il n'a généralement pas le droit de servir alcools, vins et bière). Essayez par curiosité un « curb-service », si vous aimez manger dans votre auto.

Les musées

Musée des Arts contemporains, cité du Havre : présentation permanente de peintres et sculpteurs québécois et internationaux.

Musée des Beaux-Arts, rue Sherbrooke : collections diverses, peinture canadienne et arts classiques.

Musée Mc Cord, 690 ouest, rue Sherbrooke : collections scientifiques de l'Université Mc Gill : arts indiens et esquimaux. Histoire et préhistoire du Canada.

Maison du Calvet, 401 rue Bonsecours : mobilier et peintures du Québec d'autrefois.

Château de Ramezay, 290 est, rue Notre-Dame : musée historique, arts et traditions du Canada français.

Musée de la Société militaire et maritime de Montréal, Vieux fort de l'île Sainte-Hélène : collections d'histoire (ouvert seulement à la belle saison ou sur rendez-vous).

Musée historique canadien, 3175 chemin de la Reine-Marie : musée de cire.

Musée de la Banque de Montréal, pl. d'Armes : reconstitution d'une vieille banque, monnaies.

Musée Marguerite-Bourgeoys, église Notre-Dame-du-Bonsecours, 400 est, rue Saint-Paul : vie de la fondatrice de la Congrégation enseignante de Notre-Dame.

Centre Marguerite d'Youville, 1185 rue Saint-Matthieu : trésor de la Congrégation des Sœurs grises et vie de leur fondatrice, Marguerite d'Youville.

En dehors de Montréal :

Musée de la Force, Collège Mc Donald à Sainte-Anne-de-Bellevue : antiquités et vieux outils de ferme (ouvert seulement l'été).

Maison Saint-Gabriel, 2146 rue Favard, Pointe-Saint-Charles : souvenirs historiques.

Manoir Lachine, 100 chemin La Salle à Lachine : ancien poste de traite, meubles anciens, bibliothèque.

Musée historique de Vaudreuil, 431 bd Roche, Vaudreuil : œuvres d'art, antiquités, instruments aratoires anciens.

Musée historique Charles-Lemoyne, 4 est, rue Saint-Charles, Longueuil : histoire de la ville, du château et de la famille Lemoyne, armes à feu anciennes.

Musée Kateri-Tekakwitha, église de Caughnawaga : histoire des Amérindiens et de la presque sainte indienne.

Musée ferroviaire canadien, 122R rue Saint-Pierre à Saint-Constant : plus de cent locomotives, wagons et anciens tramways (ouvert seulement à la belle saison).

Collections Melzack et Baby, Université de Montréal : livres; gravures du Canada ancien.

Les sports à Montréal

Si vous voulez assister à une partie de *base-ball* : le club des Expos rencontre ses rivaux de la ligue américaine, certains soirs d'été au *parc Jarry,* 285 ouest, rue Faillon.

En hiver, ne manquez pas une partie de *hockey,* lorsque le Club local, les « Canadiens » (encore appelés les Bleu-Blanc-Rouge ou les Habitants) sont, au *Forum,* opposés à une autre équipe de la Ligue nationale. Il est difficile d'avoir des billets, à cause du grand nombre d'abonnés; qui n'a pas un ami bien placé pour lui en offrir, fera la queue au guichet ou devra passer par le marché noir.

A l'automne, il faut voir une partie de *football* (américain) à l'*Autostade de la Cité du Havre* où jouent « Les Alouettes » de Montréal.

Les amateurs de football européen ou « *Soccer* » vont au *stade municipal de Verdun,* à la périphérie sud-ouest de Montréal.

Les amateurs de *hippisme* fréquentent les deux hippodromes dans l'ouest, *la piste Blue Bonnets,* dans l'est, la *piste du Parc Richelieu.* Des installations confortables permettent aux parieurs de souper tout en voyant les courses : le plus souvent du trot attelé, appelé ici « courses sous harnais ».

Les théâtres et les cinémas

Dans la gamme des plaisirs : le *théâtre*. Il y en a peu dans la ville. Le répertoire : les classiques revus et corrigés par les adaptateurs, metteurs en scène et comédiens du Québec. Très intéressant à voir : les adaptations de pièces étrangères contemporaines. Et surtout : les jeux nouveaux de la scénographie locale, brisant avec toutes les traditions et interprétés, sans aucun complexe, dans la plus rude langue de l'homme de la rue. Parfois de bons *concerts,* de la *danse* très peu conformiste.

Côté *cinéma,* une nouvelle tendance : les grandes salles très ornées d'autrefois se subdivisent en petits locaux intimes. Les distributeurs y présentent les productions à la mode, prêts à modifier la programmation dès que baissent les entrées.

Les cinéphiles venant d'Europe doivent savoir qu'à Montréal ils verront, six mois à l'avance sur Paris, les productions américaines en version originale. Ils verront aussi, six mois en retard, les versions doublées en français de ces films, ainsi que les longs-métrages européens.

Quelques salles qui essayent d'échapper aux circuits strictement commerciaux :
L'Élysée (salle Eisenstein et salle Resnais), 35 rue Milton.
L'Outremont, 1248 ouest rue Bernard.
Le 2001, 855 bd Decarie.
Le Petit Cinéma, pl. Ville-Marie.
Le Westmount square.
Le Conservatoire d'art cinématographique (Université Concordia), 1455 bd de Maisonneuve.

En été, pour changer un peu, on peut essayer, à la sortie de la ville, les cinéma-parkings ; sur l'écran de vieux bons films classés « pour tous ». L'action, souvent, est à l'intérieur des autos.

Montréal by night

D'un semestre à l'autre, la valeur des boîtes de nuit varie à un tel point qu'il est difficile de suggérer d'utiles adresses. A noter toutefois :

In concert, Show bar, 2 rue Leroyer (bon jazz type américain).
Mo-jo, av. du Parc (jazz africain).
Black Bottom, 22 rue Saint-Paul.
Le Sexe Machine, 1469 rue Crescent (discothèque sexy.)

Tout cela ressemble à ce qu'on peut voir un peu partout ailleurs.

Ce qui est typiquement montréalais devrait attirer les grands ducs en quête de divertissements nocturnes très folkloriques : **les clubs de nuit.**

On y va habillé comme on veut, seul ou en famille. On y trouve des gens de tous âges — de l'étudiant au rentier —, de toutes professions — du docker à l'homme d'affaires. On boit de la bière en bouteille ou du scotch. L'entrée, gratuite ou très bon marché, ne dépasse pas un dollar. Il faut donner un pourboire de 25 cents au « maître d'hôtel » qui vous installe à une table; on la partage parfois avec d'autres clients. Sur une petite scène, une formation musicale réduite, une chanteuse à voix ou un ténor qui sussurent de vieux succès américains ou français. Pendant les tours de chant le public bavarde, écoute d'une oreille distraite, au moins pour savoir quand est venu le moment d'applaudir mollement. Lorsque les artistes ont terminé, le « maître de cérémonie » annonce « la danse ». Des couples quittent les tables pour s'agiter au son de la musique. Et le spectacle reprend.

Dans d'autres établissements, l'ambiance est un peu plus corsée. La bière et les spiritueux sont servis par de jeunes femmes sélectionnées; elles n'ont pour tout costume qu'une paire de souliers à talons hauts et une petite culotte. Pas d'orchestre, mais des haut-parleurs qui diffusent des décibels de musique enregistrée très rythmée. Sur la scène se succèdent des strip-teaseuses qui se déshabillent totalement sans trop s'attacher à une idée de suspense érotique. Un lit, une chaise, une peau d'ours servent parfois d'accessoires. Elles y miment en cadence les douces angoisses du plaisir et les ardeurs de l'incandescence, sous le feu de projecteurs mauves ou oranges. Leur numéro terminé, elles quittent abruptement la scène, emportant leurs vêtements dans un petit seau de plastique, telle une bonne ménagère qui va suspendre le linge dans son jardin. Entre ces séries d'effeuillages, les serveuses aux seins libres lâchent pour un instant leur plateau, vont faire un petit solo de danse sur la piste, reviennent à leur service, espérant sans doute que leur performance finira par les classer dans les rangs des professionnelles du strip-tease. Un ou deux quotidiens de Montréal se spécialisent dans ces annonces de spectacles qui vantent les charmes des vedettes du nu progressif et de leur entourage de serveuses « topless ».

Pour les soupeurs épris d'histoire, il existe des *repas d'ambiance*. Au **vieux fort de l'île Sainte-Hélène,** on sert « Le Festin du gouverneur » et dans un **vieux café de la ville,** « le Festin du colonel », repas à la mode du XVIIe s., en compagnie du gouverneur Frontenac ou du colonel de Salaberry, entourés de serveurs, de musiciens, de chanteurs en costumes d'époque qui recréent les fastes d'autrefois. Le prix, moins de 20 dollars par personne, donne droit à un apéritif, au souper, au digestif et au spectacle.

Vos promenades dans Montréal

L'Est et l'Ouest

Le survol nocturne de la ville est inoubliable : l'éclairage des rues en damiers, les grands pans de velours sombre des parcs et surtout du Mont-Royal, les projecteurs des constructions géantes illuminées, les rubans de lumière des autoroutes, les reflets dans les eaux. Tout cela, c'est à la fois Montréal et ce n'est pas Montréal. L'agglomération tout entière, c'est plus de deux millions et demi d'habitants, le tiers de la population du Québec. Mais la ville est en fait composée de municipalités autonomes, la plupart réunies dans une fédération des cités libres : la Communauté urbaine de Montréal. Montréal n'est que la principale (un million 250 000 habitants).

Comme Londres a ses « boroughs » incrustés dans son tissu urbain, Montréal recèle des municipalités autonomes incluses; leurs rues échappent au système général de numérotation et portent souvent des noms que l'on retrouve ailleurs dans l'île. Ainsi en est-il notamment à *Westmount* et *Outremont,* bâties sur les pentes du Mont-Royal.

Dans ces parties de la ville, on remarquera que le massif montagneux peut compliquer la vie des automobilistes. La traversée nord-sud oblige à passer par de minicols, le long de voies toutes en courbes et abruptes, hostiles les jours de verglas, de blizzard ou de brouillard. En revanche, *« la Montagne »,* ses pans de roches cristallines, ses boisés, donnent un heureux cachet à la ville et réservent en son cœur une zone verte et calme, peuplée d'oiseaux, d'écureuils et de faisans; le promeneur penché aux balustrades des terrasses peut admirer d'un côté la ville et ses gratte-ciel, au loin le fleuve et à l'horizon, quand il fait beau, les monts Appalaches au-delà de la frontière américaine. Côté nord, il voit la ville résidentielle et, dans les lointains, la chaîne des Laurentides. A l'Est, les districts commerciaux et ouvriers, les cheminées des usines et les torchères des raffineries. L'Ouest se réserve, cachées dans la verdure, les villas dont la valeur est proportionnelle à l'altitude et à la solitude.

Il est difficile de se perdre à Montréal : par convention, toutes les voies perpendiculaires aux cours d'eau qui se rejoignent aux deux pointes de l'île sont réputées Nord-Sud, les autres sont Sud-Ouest, même si parfois elles s'écartent de ces directions cardinales.

La numérotation des rues Nord-Sud part du fleuve Saint-Laurent; celles Est-Ouest de la rue Saint-Laurent, axe imaginaire de la ville. Les plaques des rues indiquent par les lettres E et O (ou W) ces deux points; il faut aussi les préciser quand on donne une adresse. Ne l'oubliez pas : entre le 9 000 est et le

9 000 ouest de la rue Notre-Dame, il y a près de 20 km. Le système veut aussi que toutes les maisons soient numérotées de façon que les grandes tranches de mille en mille coïncident avec d'importantes intersections. Cela facilite les repérages. Pour arriver à ce résultat, les numéros sautent parfois quelques dizaines. On s'y fait.

Une ville cosmopolite

La rue Saint-Laurent n'a pas seulement un rôle d'ordonnée édilitaire. C'est aussi, entre deux mondes, une frontière qui tend à être moins absolue; vers l'Est, la partie habitée par les francophones. Issus du milieu rural québécois, ils se sont depuis longtemps installés dans ces quartiers, près des ateliers ou usines qui leur donnaient du travail. C'était la zone des revenus modestes et des familles nombreuses. A l'Ouest, au contraire, on rencontrait les anglophones aux caractéristiques inverses. Cela est un peu moins vrai. Ce qui demeure : entre les deux secteurs se situe encore le domaine des nouveaux arrivés non encore intégrés qui conservent en partie leurs façons de vivre et créent, à la faveur des vagues d'immigrations, de petites Europe, Afrique et même Asie.

Selon les spécialistes, Montréal sera, à la fin de ce siècle, avec Toronto et Vancouver, une des trois mégapoles du Canada. Elle groupera plus de 5 millions d'habitants dont la moitié seulement sera francophone. Au recensement de 1961, 64 % de la population montréalaise se déclarait d'origine française, 40 % ne parlaient que le français. Près de 37 % des Montréalais se déclaraient bilingues contre 22 % qui ne parlaient que l'anglais. Montréal est actuellement la ville la plus bilingue du Canada. C'est aussi la plus biculturelle. Une partie de l'ambiance de la ville vient de la juxtaposition de nombreuses cultures, marquées par l'origine latine du groupe principal et de sa qualité de québécois. Si Montréal n'est pas exactement, comme on le répète, la deuxième ville française du monde, on ne lui nie guère son titre de capitale mondiale de l'Aviation. Ici est née l'Organisation de l'Aviation civile internationale, agence des Nations-Unies, qui y a son siège avec l'Association du Transport aérien international et la maison-mère d'Air Canada, rôle grandi par la présence de deux grands aéroports : Mirabel et Dorval.

Celui qui est bon marcheur entreprendra de visiter la ville à pied; les autres prendront le métro et l'autobus.

A éviter, l'automobile. Les embouteillages sont rares à Montréal, mais les points de stationnement sont introuvables. Seuls, quelques parcs gérés par la Ville sont abordables, mais toujours bondés. Les parkings

Un air de vieille Europe, rue Crescent

privés sont scandaleusement chers; leurs rapaces propriétaires exigent d'être payés d'avance et se disent totalement irresponsables de ce qui peut arriver à votre voiture. Quant à la police, face au stationnement illicite dans la rue, elle dépose sur les pare-brise des avis de contravention de l'ordre de 5 à 10 dollars.

Au cœur : Ville-Marie

Le milieu vivant de Montréal, c'est, dans l'axe de la rue Peel, une portion de quatre artères parallèles Est-Ouest : elles s'appellent **Sherbrooke, Maisonneuve, Sainte-Catherine, Dorchester.** Le périmètre se termine à l'est après la rue Bleury, à l'ouest vers la rue Atwater. Pour explorer cette zone, départ de la *Place Ville-Marie.* Un coup d'œil sur ce haut gratte-ciel, l'envie peut-être de prendre un de ses ascenseurs vers le sommet, le café-restaurant du 53e étage « Altitude 337 » (337 indique le nombre de pieds entre le sol et le faîte, soit 102 m). Dans l'autre sens, c'est la tentation des sous-sols et leurs suites de boutiques. Vers le nord, s'étend la *rue Sherbrooke.* Elle a 20 km de long. En la suivant loin vers l'est, on arrive aux installations olympiques; vers l'ouest, vers des banlieues huppées.

151

Point de repère dans la partie centrale de la rue Sherbrooke, entourée de pelouses, de grands arbres et de bâtiments antiques et très modernes, la vénérable **université Mc Gill,** important établissement anglophone d'éducation supérieure, riche de bibliothèques et de musées, grâce à de généreuses fondations.

Un peu plus loin vers la rue Atwater, on trouve le nouveau **Musée des Beaux-Arts.** Récemment agrandi, il possède 34 salles (tableaux, objets d'art, collections ethnographiques, gravures). Il est complété par un jardin de sculptures et un restaurant.

Toujours dans cette partie centrale de la rue Sherbrooke, des galeries de peintures, boutiques de couturiers, antiquaires, joailliers de renom et le célèbre *hôtel Ritz.* Sa parallèle au sud, c'est *la rue Maisonneuve;* réaménagée depuis peu, elle se garnit, autour d'un des « campus » de l'**université Concordia,** de restaurants et cafés-terrasses très vivants.

La « Catherine »

Un peu plus au sud encore, la *rue Sainte-Catherine,* la « Catherine » des vieux Montréalais, traditionnellement commerciale, un peu les grands boulevards de Paris : magasins, cinémas, théâtres, boîtes de nuit, bars et tavernes, petits commerces, librairies. On y trouve des choses précieuses et de la pacotille, des tables médiocres et bon marché, des restaurants amusants. Aussi, quatre grands magasins très courus : **O'Gilvy, la Baie, Eaton's** et **Simpson's.** Des bouches de métro donnent directement accès vers ces deux derniers magasins.

Autour de l'intersection Sainte-Catherine et Peel se trouvent les bureaux-magasins des grandes compagnies aériennes.

Vers l'ouest, voici le **Forum,** temple du sport, Mecque des amateurs de hockey; ce palais sportif devient, à l'occasion, salle de concerts symphoniques, discothèque géante, haut lieu du catch, patinoire pour Ice-Follies, grand cirque, sanctuaire du jazz et des groupes pop, salle de conférence pour solistes de la parole, lieu de culte, tribune politique. Sa haute verrière répercute les cris passionnés des foules. En face, le **centre d'achats** géant **Alexis Nihon.** En direction de l'ouest, commence une autre ville, Westmount.

Une centaine de mètres plus au sud, court parallèlement la *rue Dorchester.* Dans l'axe de l'université Mc Gill, on trouve de grands ensembles : la Place Ville-Marie, sa tour cruciforme et ses immeubles, l'*hôtel Reine Elizabeth,* construit au-dessus de la gare centrale, d'autres séries de gratte-ciel dont celui de la C.I.L., celui de la Banque Impériale de commerce, terminé par un observatoire vitré d'où l'on a une vue étonnante de la ville, surtout la nuit.

Face au « *Carré Dominion* » (le mot square est considéré comme un fâcheux anglicisme), petite place verte agrémentée de statues et de pigeons, se trouve l'*hôtel Windsor,* vénérable et confortable établissement qui a reçu longtemps les têtes couronnées et les grands de ce monde. On l'a amputé, en partie, pour construire le haut bâtiment de la Banque Impériale. Au sud, près de la gare Windsor, d'architecture très victorienne, un autre hôtel, le moderne *Château-Champlain,* remarquable par son unité architecturale et ses baies semi-circulaires qui lui ont valu le qualificatif de « râpe à fromage ».

Toujours sur la partie centrale du boulevard Dorchester, la **basilique Marie-Reine-du-Monde** dont l'intérieur est richement orné. Ses concepteurs ont voulu en faire une réplique réduite de Saint-Pierre-de-Rome. De leur pieuse intention est résulté un modeste pastiche, à présent écrasé par de hauts buildings. La plaisanterie classique consiste à présenter celui de la « Sun Life » comme le presbytère de la basilique...

Autre construction religieuse, au coin de la rue Guy, la Maison-Mère des Sœurs grises au milieu de ses jardins tranquilles, guettée par les promoteurs qui veulent ajouter de nouvelles tours à celles qui bordent le boulevard Dorchester.

Au cœur de ce quartier central et très vivant, une zone encore plus animée; pour le touriste, c'est le **quadrilatère enchanté.** Il va du boulevard Dorchester à la rue Sherbrooke et comprend toutes les rues perpendiculaires : *Mackay, Bishop, Crescent, la Montagne, Drummond, Stanley et Peel.* Elles sont bordées de restaurants, petits cafés, boîtes de nuit, boutiques garnies d'objets insolites, ateliers d'artisanat de luxe, antiquaires. Le jour, ces rues sont très passantes. Le soir et la nuit, la vie y est intense. C'est le grand rendez-vous de la jeunesse, des gens en quête de détente, des flâneurs.

Le Montréal souterrain

Il existe un autre lieu extrêmement vivant et très typique du nouveau Montréal : les luxueux sous-sols qui rayonnent autour des *galeries de la Place Ville-Marie* et *de la Place Bonaventure.* Longtemps, à l'endroit où se trouve cette place, on voyait à travers de tristes grilles, une énorme tranchée au fond de laquelle circulaient des trains à vapeur. En quatre ans fut construit, au-dessus de cet espace hideux, la **Place Ville-Marie**, complexe d'édifices modernes et dans ses sous-sols, le cœur du nouveau Montréal à ciel fermé, réservé aux piétons. Il s'agit de galeries

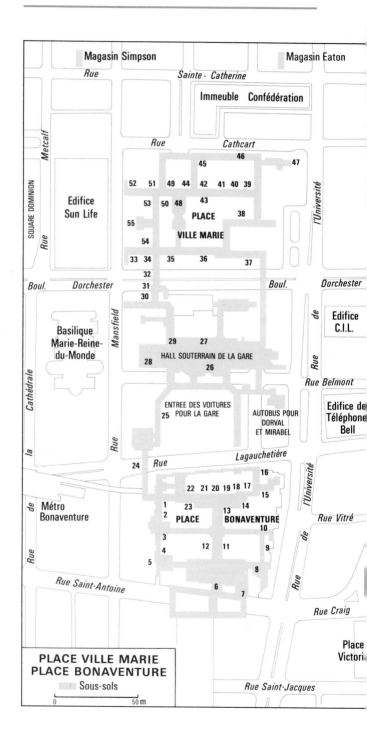

Magasin Simpson

Magasin Eaton

Rue Sainte - Catherine

Immeuble Confédération

Metcalf

Rue Cathcart

46
45   47

52 51 49 44 42 41 40 39

53 50 48   43   38
                PLACE
55   VILLE MARIE
54

33 34 35   36   37
32
31
30

SQUARE DOMINION

Rue

Edifice
Sun Life

Boul.   Dorchester   Boul.   Dorchester

de   Edifice
          C.I.L.

Mansfield

Basilique
Marie-Reine-
du-Monde

29   27

28   HALL SOUTERRAIN DE LA GARE
                26

Rue   Rue Belmont

Cathédrale

Edifice de
Téléphone
Bell

ENTREE DES VOITURES
25   POUR LA GARE

AUTOBUS POUR
DORVAL
ET MIRABEL

Rue

24   Rue   Lagauchetière

16
22 21 20 19 18 17
                15
1   23   13 14
2   PLACE   BONAVENTURE
              10
3
4   12   11   9
5
                        8

6
7

Rue Craig

Place
Victori

Métro
Bonaventure

de

Rue

la

de

Rue

l'Université

l'Université

Rue Vitré

de

Rue

Rue Saint-Antoine

PLACE VILLE MARIE
PLACE BONAVENTURE

Sous-sols

0   50 m

Rue Saint-Jacques

Galeries souterraines
Place Ville-Marie et place Bonaventure

Quelques-unes des boutiques

1) Wild'n Wooly (vêtements de cuir et lainages)
2) Fournier (sacs à main et bagages)
3) Hôtel Bonaventure (entrée)
4) Bar Bocaccio
5) Cinéma
6) Entrée du Viaduc et ses soixante boutiques (variétés internationales)
7) Café Viadotto
8) Minithéâtre
9) Société des Alcools
10) Restaurant Papa Dan
11) Bally (chausseur)
12) Pharmacie Bonaventure
13) Armand Boudrias (vêtements pour hommes, chemiserie)
14) Banque de Montréal
15) Vers les boutiques du niveau Métro (marchand de journaux, tabacs services divers)
16) Four Seasons (vêtements et accessoires de sports)
17) Classic Books (librairie)
18) Librairie Bertrand
19) Le Château (vêtements « unisex »)
20) Playworld (jouets)
21) Mme de Bellefeuille (artisanat)
22) Bowring's (matériel de table et de cuisine
23) Birks (bijoux, montres, objets de luxe, argenterie)
24) Passage vers le grand hall de la gare centrale
25) Pharmacie Francœur
26) Bureau de tourisme de la Nouvelle-Écosse
27) Librairie WM Smith
28) Buffet de la gare
29) Passage vers les boutiques de la Place Ville-Marie
30) La boutique du gourmet
31) Brasserie
32) Société des Alcools
33) Boulangerie pâtisserie Cousin
34) Confiserie Laura Secord
35) Classic Books (librairie anglaise)
36) MacKenna (fleuriste)
37) Bar Club Car
38) Banque royale du Canada
39) Bessie's (vêtements pour jeunes filles)
40) Mark and Spencer (confection pour dames)
41) Pharmacie Médical Arts
42) Brown's (chausseur)
43) Café de la Place
44) Playworld (jouets)
45) Les Élégants (vêtements pour hommes)
46) Nouvelles boutiques modes
47) Les cinémas, Place Ville-Marie
48) Entrée des trois restaurants de Carrefour :
Le Bluenose (fruits de mer)
Le Stampede (grillades)
L'Escargot (restaurant d'escargots)
49) Birks (bijoux, horlogerie, objets d'art)
50) Librairie Bertrand
51) Holt Renfrew (articles de luxe pour dames et messieurs)
52) Bittners (Hypermarché)
53) Aquascutum (vêtements de pluie)
54) La maison danoise (ameublement)
55) Le bar du coin

marchandes climatisées, inondées de lumières artificielle, reliées à celles des gratte-ciel du quartier et aux couloirs du métro. On compte actuellement dans cette ville souterraine, aimable aux badauds, 300 magasins. Les couloirs relient entre eux trois grands hôtels qui totalisent 2 215 chambres, une dizaine d'édifices à bureaux qui offrent un espace locatif de 566 000 mètres carrés, deux gares ferroviaires (qui desservent tout le Canada et une partie des États-Unis, où arrivent et partent 154 trains par jour), 40 bars, des banques, des cinémas, 33 restaurants,

quatre garages qui offrent des emplacements pour cinq mille automobiles et une station de métro. On estime à plus de 125 000 le nombre des passants qui se croisent quotidiennement dans les couloirs de cette cité souterraine longs de 25 kilomètres.

On peut ainsi, en bravant le froid de l'hiver ou la canicule estivale, faire ses courses, aller au cinéma, se restaurer, profiter de nombreux services : coiffeurs, teintureries, agences de voyages, etc. Sur la *place Victoria*, que l'on trouve au sud-est, s'élève la **tour de la Bourse** (47 étages). Ce gratte-ciel comporte aussi des galeries souterraines reliées à la station de métro et 70 boutiques. Autre zone de vie souterraine : sous les immeubles du *square Westmount*, où l'on trouve surtout des appartements privés, aussi reliés au métro tout comme le **complexe Alexis-Nihon,** centre commercial à niveaux multiples. Enfin, la station de métro *Berri-Demontigny* possède son centre d'achats qui s'étend sous la rue et dont les allées vont se ramifier pour atteindre les sous-sols des constructions qui s'édifient actuellement dans ce secteur, notamment la *Place Desjardins.*

On imagine dans un temps qui peut être proche, que toutes ces merveilleuses catacombes des temps modernes seront reliées, créant sous la ville son double futuriste, la cité où l'on ne connaît ni chaleur ni froid ni pluie tandis que les voitures, enfin maîtresses du sol, rouleront en plein air dans les rues vides de passants.

Le vieux Montréal

La musardise montréalaise se plaît aussi *Place Jacques-Cartier,* dans le vieux Montréal. Tout y incite à la flânerie : modeste esplanade plantée d'arbres, garnie de bancs publics, bordée de cafés à terrasses, peuplée de fleuristes ambulants, de gratteurs de guitares, de cochers de fiacres, c'est le lieu de la rencontre ; le vieux palais de justice, l'hôtel de ville dominent ce mail tranquille qui, en toute justice, devrait donner sur le Saint-Laurent. Hélas, de lourds silos à grains et les hangars du port condamnent toute vue sur le fleuve.

On trouve le *vieux Montréal* entre les rues Berri et Mc Gill, entre la rue Craig et le port. Ce rectangle est desservi par les stations de *métro Champ-de-Mars, Places d'Armes* et *Victoria.* Quelques pas vers le sud et l'on baigne dans le passé de Montréal. Tout près, **le château de Ramezay,** vieux manoir du régime français transformé en touchant musée historique et la **chapelle Notre-Dame-de-bon-Secours,** lieu de prière le plus ancien de la ville. A voir aussi, la **maison de la Sauvegarde** qui présente des expositions d'artistes contemporains ; un peu plus loin, accolée au vieux séminaire de Saint-Sulpice, l'**église Notre-Dame,** une réplique de sa sœur de Paris, deux hautes tours en H, une immense nef dont l'intérieur marbré, sculpté, peint, doré, vitré de mille couleurs, illuminé avec soin, offre à l'œil un étonnant spectacle. L'oreille y trouve son compte lorsqu'un maître de la console touche les merveilleuses orgues. Également lorsque le carillon de la **tour de la Tempérance** se met en branle. De célèbres orateurs sacrés viennent ici prêcher le Carême. Dans l'assistance des fidèles, les touristes se mêlent aux petites gens du quartier, aux employés de bureaux. La *Place d'Armes* face à l'église est le centre de l'activité financière. Dans de grandes tours d'acier, de verre et de béton, dans de hauts édifices désuets dotés de colonnes et de portiques grecs, sont installés les sièges sociaux des banques, des compagnies d'assurances, des sociétés de navigation, les bureaux des entreprises d'importation, des notaires, des avocats — à cause de la proximité du palais de justice. C'est aussi le quartier des journaux, des douanes, des administrations publiques. Le commerce de détail, longtemps florissant dans ces parages (notamment, on voit rue Craig de nombreux « pawn-shops », prêteurs sur gage, brocanteurs, fripiers) est représenté par d'innombrables boutiques. Pour nourrir et abreuver hommes d'affaires, fonctionnaires et employés, on trouve là des restaurants bon marché et des tavernes.

Le vieux carré

Grouillant de vie le jour, ce secteur, le soir et en fin de semaine, tout comme la City de Londres ou le Wall street new-yorkais, est silencieux et désert. Il borde heureusement le vieux Montréal si vivant précisément le soir et les samedis et dimanches. Il faut savoir se promener à pied dans ses vieilles rues, pavées à l'ancienne, éclairées de réverbères. Des restaurants récents, mais à décor vieux Québec, offrent, servis par des serveurs et des serveuses en costume d'autrefois, les mets traditionnels. Ainsi au **« Vieux Saint-Gabriel »,** où l'on a reconstitué dans les caves un ancien poste de traite, dans les greniers un bistrot de port, ailleurs de grandes salles à manger illuminées par des lustres et des feux de bois et, au hasard d'escaliers et de couloirs, des cabinets particuliers, des bars surannés. Dans ces lieux, on propose de solides menus. Sous les voûtes du sous-sol, on boit le caribou, la « Marie-sanglante », le petit blanc, le vin de gadelle et la bière d'épinette.

Autour des cafés et des restaurants, se pressent des boutiques d'artisanat, de vieux mobiliers, d'antiques maisons longtemps transformées en entrepôts, que l'administration municipale aide à restaurer afin de

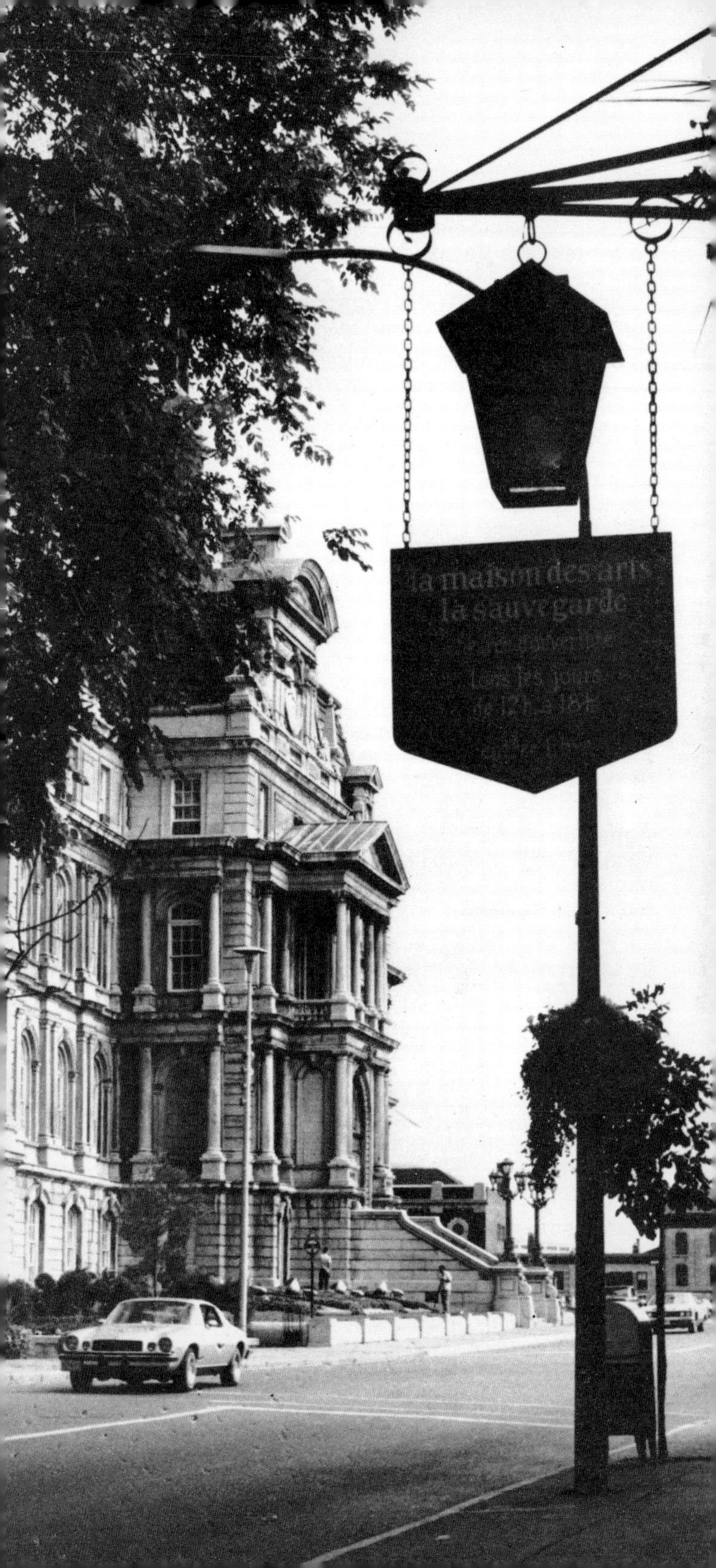
la maison des arts
la sauvegarde

rendre à ce quartier son charme et son entrain d'autrefois.

Au Sud de cette zone, près des quais, aux environs de la petite Place Royale, ont débarqué pour y fonder la ville, le sieur de Maisonneuve et ses compagnons. C'était en octobre 1641. Longtemps, Montréal a tenu tout entière dans ce quadrilatère fermé par le fleuve.

Le port de Montréal est impressionnant : 20 km de long, 135 postes d'amarrage, 51 hangars maritimes, 5 « élévateurs » à grains (immenses silos pouvant stocker les blés de la Prairie) ; le domaine portuaire est équipé pour le transbordement des containers, parcouru par 100 km de voies ferrées des deux grands réseaux nationaux. Les navires du monde entier y passent. L'hiver n'est plus un problème. Les cargos affectés à cette ligne ont des coques d'acier renforcé. Pour les autres, des brise-glace font et refont des chenaux. Mais ce domaine, fermé par des grilles que franchissent seulement, surveillés par la police spéciale, les débardeurs, est interdit au simple piéton.

Pour mieux le voir, il faut prendre place, au pied de la rue Mc Gill, à bord du *navire d'excursion* qui, en 2 h, longe le front de mer jusqu'à l'entrée de la Voie maritime du Saint-Laurent, conduit autour de l'île Sainte-Hélène, foyer de Terre des Hommes.

Autre bon moyen de voir le port, c'est de se promener dans cette île. Au coucher du soleil et la nuit, Montréal, ses gratte-ciel et son fond de collines y apparaissent transfigurés.

Le centre de la ville

Autre pôle de la vie montréalaise, le *secteur Berri-Demontigny*. C'est le nom d'une station de métro où se croisent les deux lignes importantes. A l'Ouest, sur la rue Sainte-Catherine, la **Place des Arts,** grand et moderne centre de spectacles, un des plus beaux d'Amérique du Nord ; il comporte la salle Wilfrid-Pelletier, concerts symphoniques et spectacles internationaux de variétés — et deux salles de théâtre et de musique. En tout 3 100 sièges.

A l'Est, un grand magasin, **Dupuis frères,** dans lequel, contrairement à ses rivaux, la langue anglaise est peu utilisée. Il est prolongé par un grand complexe architectural qui abrite notamment le nouvel hôtel Méridien et un des deux Holiday Inn de la ville. Le terminus des lignes d'autocars, de nombreux restaurants et magasins, dont la **Centrale d'artisanat du Québec,** ajoutent à l'animation de ce quartier.

Le **campus de l'Université du Québec à Montréal** y apporte une note de jeunesse. De la rue

Sainte-Catherine vers le Nord, la *rue Saint-Denis* compte de nombreux restaurants bon marché, petites pensions, marchands de tableaux, de disques. Le *carré Saint-Louis,* rendez-vous de la jeune bohème, marque la frontière de ce Montréal non-conformiste. Parallèle à la rue Saint-Denis, la *rue Saint-Laurent* ne manque pas de charme. Sa partie au Sud de la « Catherine » a été longtemps un centre de plaisirs bon enfant. Il ne reste plus guère que deux ou trois « boîtes » assez populaires, à tous les sens du mot, où l'on peut boire une bière en écoutant une chanteuse ou un ténor de fantaisie. Ces beuglants montréalais disparaissent, absorbés par les boutiques du quartier chinois tout proche.

Montréal a son petit côté Hong-Kong. Aux alentours de la *rue de La Gauchetière* se sont fixés des Asiatiques qui depuis longtemps ont transformé les rues en installant sur la façade de leurs magasins ou de leurs restaurants des enseignes dans la langue de Confucius. La Ville a emboîté le pas en donnant aux cabines téléphoniques du coin l'allure de petites pagodes.

Un peu plus au Nord, ce n'est plus l'Asie, mais une Europe multiple. Dans cette partie de la *rue Saint-Laurent,* se logent en attendant mieux, les immigrés récents. Ils cohabitent, sans haine, mais non sans émulation commerciale. Ici et dans les rues adjacentes, on trouve tous les produits que l'on pourrait acquérir sur les marchés de Beyrouth, Lisbonne, Naples ou Athènes. Dans toutes les langues, on achète et on vend de tout. On travaille aussi dans de petites manufactures de vêtements, bijoux, fourrures, maroquinerie.

Le Mont Royal

Un parc de 200 hectares occupe le sommet du Mont-Royal. En hiver, pentes de ski (avec remonte-pente), ski de promenade dans les sentiers, raquette, patinage sur le lac des Castors, promenades sous la chaude peau d'ours, dans des traîneaux (que les Montréalais appellent carrioles) tirées par un cheval au harnais garni de grelots. Dans des abris chauffés, on trouve boissons chaudes et sandwiches. A la belle saison, le parc devient un grand terrain de jeu pour adultes et jeunes. On y prend des bains de soleil, on y pique-nique. Les amoureux recherchent les taillis et les policiers montés veillent à la bonne tenue. Le soir, on y donne des concerts sous les étoiles, on y organise des fêtes populaires. Autour du lac des Castors, des sculpteurs contemporains ont laissé d'immenses œuvres de pierre ou de métal.

L'Université de Montréal, dominée par sa tour, a son campus sur le flanc Nord-Ouest du Mont-Royal.

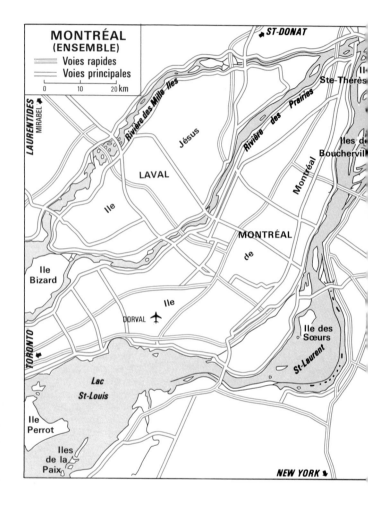

Près de 20 000 étudiants à plein temps. Un équipement universitaire très complet. De nombreux laboratoires, dont un, consacré à la physique nucléaire, des bibliothèques, des collections, un stade, des patinoires, des piscines, un tremplin olympique de ski. Des résidences qui l'été sont ouvertes aux participants à d'importants congrès de sociétés savantes. Visites guidées gratuites en permanence de fin mai à fin août et le reste de l'année sur demande.

Près de l'université, *l'oratoire Saint-Joseph;* c'est en fait un immense édifice religieux voué à l'Époux putatif de la Vierge. il attire sous son vaste dôme des millions de pèlerins et des fidèles amateurs de messes chantées. Tout près, un *musée de cire,* en partie consacré à l'histoire du Canada français.

Sur l'île Sainte-Hélène : la Ronde

L'île Sainte-Hélène

Frère fluvial du parc du Mont-Royal, celui de l'île Sainte-Hélène (aucune allusion à la terre mortelle de l'empereur Napoléon; l'île doit son nom à Hélène Boulé, femme de Samuel de Champlain). Là, s'est déployée une partie de l'Expo 67, prolongée depuis par l'exposition estivale **Terre des Hommes** : présentations thématiques et exhibitions de collections organisées par de nombreux pays, dans certains pavillons conservés de la grande exposition universelle, spectacles gratuits offerts aux visiteurs qui peuvent aussi, dans l'île voisine, **La Ronde,** prendre du plaisir dans un vaste parc d'attractions.

A voir aussi l'**aquarium** et son cirque marin dans lequel évoluent des dauphins savants.

On trouve dans l'île d'anciens forts. Dans l'un d'eux est établi un **Musée militaire** et un restaurant, tandis que la vieille **Poudrière** abrite un petit théâtre qui se spécialise dans le répertoire international, joué, le plus souvent, dans la langue de l'auteur.

Une attraction quotidienne à ne pas manquer en été : les évolutions de deux groupes de soldats en costumes d'époque : Compagnie franche de la Marine, créée sous le régime français et Fraser's Highlanders, venus d'Angleterre. Habit bleu, tricorne et guêtres blanches, mousquet et corne à poudre. En face, kilt, plaid et bonnet à poils. Cornemuses et fifres. Parades militaires et danses écossaises.

Avant de quitter l'île, à ne pas manquer : un repas au *restaurant Hélène de Champlain.* Un cadre vieux canadien, une vue merveilleuse sur le fleuve, une cuisine soignée et une cave remarquable.

Dans le même secteur, se trouve le *Musée des arts contemporains,* situé à la Cité du Havre. On y fait, entre autre, connaissance avec les artistes canadiens d'aujourd'hui. Tout près du musée, se trouve **Habitat 67,** une expérience d'avant-garde dans le domaine de l'habitation.

Sur la rive Sud, une tour d'observation près de l'écluse Saint-Lambert permet d'assister au passage des immenses navires qui entrent ou sortent de la Voie maritime.

Une réserve indienne se trouve tout près de là, celle de **Caughnawaga.** Y vivent des Indiens de race Mohawks, autour de la chapelle catholique dans laquelle la messe est dite dans leur langue. On visite le *Musée indien* et le *vieux presbytère.* On y retrouve le souvenir de la bienheureuse Kateri Tekakwitha, jeune iroquoise morte en 1680; des Indiens espèrent qu'un jour elle sera proclamée sainte.

Les autres quartiers de Montréal et de sa banlieue, s'ils ont des attraits, ne sont guère touristiques : dans l'est, maisons un peu baroques, à façades plates mais souvent ornées de remarquables escaliers en spirales. Dans l'ouest, cottages précédés de pelouses. C'est le Montréal des « petites patries ». On y reconstitue la bonne vieille paroisse rurale des parents ou grands-parents. Souvent, dans l'ingrat paysage urbain, des parcs verts, rouges ou blancs, selon la saison.

A voir aussi : pour les amateurs d'étoiles : le **planétarium Dow.** Pour ceux qui aiment la faune : le **jardin des merveilles** et son zoo des petits. Pour ceux qui préfèrent les plantes : le **jardin botanique,** ses serres et son herbier. Pour les passionnés de télécommunications : la **tour de Radio-Canada;** on peut y visiter les installations, assister à des enregistrements de spectacles télévisés et au dernier étage, avoir une vue rare sur la partie orientale de la ville.

Montréal en dollars

Dans un continent où tout se mesure en terme de dollars, sachez que la municipalité de Montréal, pour son exercice terminé en avril 1975, présente un bilan qui s'équilibre dans les 580 millions de dollars. Au chapitre des rentrées, environ 530 millions de taxes locales. Pour les dépenses, près de 120 millions consacrés au service d'incendie, de travaux publics et de voirie (notamment enlèvement de la neige; une bonne tempête de 12 h coûtant à elle seule aux contribuables une moyenne d'un million de dollars).

Un ferry-boat, « traversier » en québécois

Visiter le Québec

Les moyens de transport

Par la route

Pour les longs trajets bien sûr, l'avion. Sinon, louez une voiture. Les grandes entreprises internationales de location d'autos sans chauffeur ont des comptoirs dans tous les endroits fréquentés par les touristes. Lisez bien le contrat qui vous lie à la compagnie. Pour un kilométrage illimité, une voiture confortable américaine coûte environ 25 dollars par 24 heures. A quoi s'ajoutent l'assurance (2 dollars par par jour), la consommation d'essence, la taxe de 8 %. Ainsi, la facture à payer peut se monter à 70 dollars. Si vous présentez une carte de crédit, vous n'avez pas d'acompte à verser.

Faites vos comptes : souvenez-vous qu'au Canada, comme dans tous les pays anglo-saxons, la consommation d'essence est indiquée en milles par gallon d'essence et non pas au litre aux 100 km (un gallon = 4,5 l. Un mille = 1 km 609. 1 km = 0,621 mille. 1 litre = 0,219 gallon. Le gallon canadien n'est pas le gallon US, il ne contient que 3,785 litres. Finalement, 10 milles par gallon canadien correspondent à un peu plus de 28 l aux 100 km. Ou 10 l aux 100 km correspondent à un peu plus de 28 milles par gallon).

Sur les voies rapides, la vitesse maximum est de 70 milles à l'heure.

Sur les autres routes, la vitesse permise est de 60 milles à l'heure. S'il y a de nombreux et longs villages à traverser, où le maximum est de 30 (attention aux radars sournois), un bon conducteur ne peut guère espérer une moyenne générale de plus de 45 à l'heure.

Si vous ne conduisez pas, pensez aux autobus (ici, on n'appelle pas autocar les véhicules des transports interurbains). Ces bus sont rapides, confortables, relativement ponctuels.

En train

Le train n'est indiqué que sur de très grandes distances (Montréal-Vancouver, par exemple), pour un voyageur qui ne voudrait pas prendre l'avion. Pour les courts trajets (sauf les lignes de banlieue, où aux heures de pointe les rames se succèdent rapidement), les trajets moyens en train ne sont pas recommandés. Conçus avant tout pour transporter bois, minerais ou bestiaux, empruntant des parcours rarement rectilignes, les chemins de fer sont désespérants par leur lenteur, malgré tout le confort proposé aux passagers.

En auto-stop

Le « pouce », de bonne tradition au Québec, est un moyen économique de voyager. L'été cependant, les candidats à l'auto-stop sont plus nombreux que les automobilistes qui peuvent les prendre à leur bord. Les chauffeurs de camions, par ordre de leurs employeurs, doivent refuser ce service.

La flotte est prête

Là où n'existent pas de ponts sur les rivières, on trouve des bacs, appelés traversiers, qui prennent à leur bord piétons et véhicules. Certains de ces voyages constituent des mini-croisières. Les traversiers qui font constamment la navette entre Québec et Lévis ne mettent que huit minutes pour traverser le fleuve, mais d'autres promenades aller-retour sur le Saint-Laurent sont déjà un beau voyage. Ceux qui les aiment peuvent aussi embarquer, à la belle saison, sur le cargo mixte qui relie *Rimouski* à *Sept-Iles,* avec escales dans plusieurs ports de la rive nord jusqu'à Blanc-Sablon; départs de Rimouski les lundis et mardis soir. Départs de Sept-Iles, les dimanches et lundis soir. De Rimouski à Blanc-Sablon, aller simple $ 82,45; aller et retour 153,10. Il faut retenir huit jours à l'avance, à l'Agence maritime à Rimouski (tél. 418.692.1711). A Montréal (tél. 514.842.2791). A Sept-Iles (tél. 418.962.9838).

La compagnie March Shipping (tél. à Montréal 514.842.8841), organise tous les étés au départ de Montréal des *croisières de 6 à 7 jours sur le Saint-Laurent* avec escales à Québec, Saint-Pierre et Miquelon, la rivière Saguenay et Bagotville, à bord du paquebot *Alexandre Pushkin* (à partir de $ 240).

Entre Montréal et les îles de la Madeleine, avec escale à Québec et Matane, adressez-vous à la Coopérative de transports maritimes et aériens (à Montréal, tél. 514.527.8361; à Québec, tél. 418.424.5958). Un départ par semaine. Capacité maximum 15 passagers (de Montréal, aller simple sans repas : $ 50,00, aller-retour avec repas : $ 160,00).

De Québec, excursions à *Sainte-Anne-de-Beaupré* et retour; départ tous les jours à 10 heures. Descente du fleuve jusqu'aux *chutes Montmorency* et retour tous les jours à 16 heures. Excursion de nuit vers le *pont de Québec,* puis vers *l'île d'Orléans,* tous les soirs à 20 heures, S'adresser à la *Québec Waterways Sightseeing Tours* (tél. à Québec, 418.692.1159).

De Montmagny à *l'île-aux-Oies,* *l'île-aux-Réaux,* *Grosse-île,* *l'île-aux-Coudres,* *Sainte-Anne-de-Beaupré,* *l'île d'Orléans* et *Québec,* s'adresser à Jos Lachance et fils, à Montmagny (tél. 418.248.0948).

A Roberval, les croisières du *lac Saint-Jean* (tél. 418.275.1622), à bord du « Martin Bédard », mènent les passagers sur le lac tous les jours : départs à 15 h, 19 h, 20 h 15.

Sur le *lac Memphrémagog,* l'Aventure II conduit les touristes pour un grand tour de 2 h à 3 h 30. Départ à 14 h, sauf les lundis et vendredis. Croisières du samedi soir, du 19 juillet au 16 août. Départ à 19 h 30 de Magog (tél. 819.483.2543).

De Trois-Rivières, excursions sur le *lac Saint-Pierre* et le long du port en matinée, après-midi et soirée (tél. 819.375.3000).

De Sorel, excursion de 20 miles à travers *les îles.* Départ toutes les deux heures; le soir à 20 h; il est bon de réserver les nuits de clair de lune (tél. 514.743.7227).

A Sainte-Agathe-des-Monts (Laurentides), des navires mènent sur le *lac des Sables.* De mai à novembre, 4 sorties par jour. Du 24 juin au 1er septembre, départ toutes les heures, (tél. 819.326.3656).

A Montréal sur le *Saint-Laurent,* à Chicoutimi sur le *Saguenay,* sont également organisées des excursions en bateau. Ces navires comportent un bar, une salle à manger et une piste de danse. Enfin, de Percé, les bateliers conduisent les touristes autour du fameux *Rocher* et à *l'île Bonaventure.*

Direction Québec

Il y a trois façons d'aller de Montréal à Québec par la route :

- l'autoroute rapide, mais monotone qui franchit deux fois le Saint-Laurent et traverse, sur la rive gauche, un arrière-pays, loin des villes et villages, à travers des zones en parties marécageuses et pauvrement boisées.

- la route 3 qui, sur la même rive, suit le fleuve jusqu'aux abords du pont de Québec, c'est la route des Seigneurs.

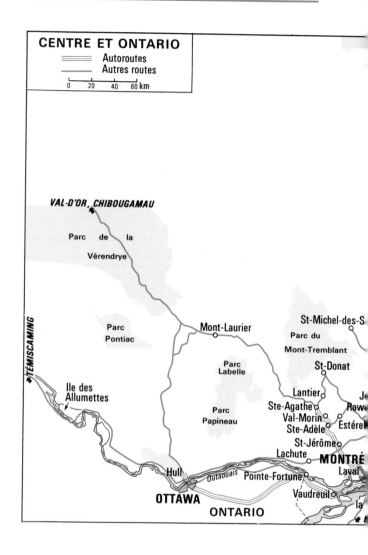

CENTRE ET ONTARIO
≡ Autoroutes
— Autres routes
0   20   40   60 km

VAL-D'OR, CHIBOUGAMAU

Parc   de   la
Vérendrye

TÉMISCAMING

Parc
Pontiac

Ile des
Allumettes

Mont-Laurier

St-Michel-des-S

Parc du
Mont-Tremblant

Parc
Labelle

St-Donat

Parc
Papineau

Lantier
Ste-Agathe
Val-Morin
Ste-Adèle

J
Raw
Estére

St-Jérôme
Lachute

MONTRÉ

Hull

Outaouais   Pointe-Fortune

Laval

OTTAWA

Vaudreuil

ONTARIO

la

- la route 2 qui ourle la rive nord, construite par
dessus le vieux Chemin du Roy.

Ces deux dernières routes, au-delà de Québec,
permettent de continuer, l'une vers la Gaspésie,
l'autre au-delà de Sept-Iles jusqu'à Moisie (elle ira
bientôt jusqu'à Blanc-Sablon).

De ces deux routes côtières, qui à partir de Montréal
s'ouvrent en V, partent des voies qui perpendiculairement conduisent à travers une grande partie du
Québec. Nous indiquerons toutes les étapes principales.

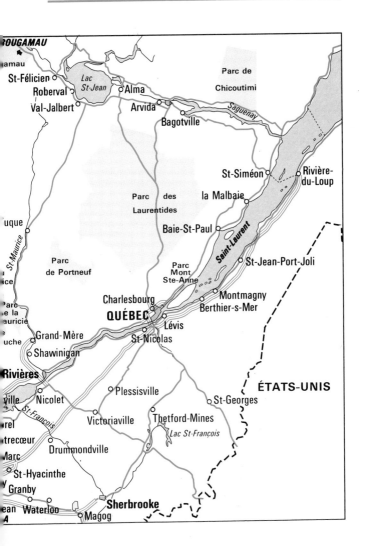

La route des Seigneurs

De Montréal : à Verchères, 30 ml (48 km) ; à Sorel, 54 ml (86 km) ; à Nicolet, 89 ml (149 km) ; à Québec, 191 ml (307 km).

A la sortie du pont, voici **Longueuil** (du nom d'un village normand, patrie d'origine de Lemoyne et de ses sept fils). Toutes les villes en bordure du Saint-Laurent qui offrent les façades de leurs maisons et églises aux reflets des eaux, ont des noms historiques : ceux des officiers du roi qui ont accepté de demeurer dans la colonie et que l'on a fait seigneurs.

Elles se nomment Boucherville, Varennes, Verchères, Contrecœur, Tracy ou Sorel. A **Verchères,** une statue rappelle le souvenir d'une enfant de 14 ans Madeleine, qui avait organisé la défense du manoir familial attaqué par une bande d'Iroquois.

L'agriculture et la petite industrie se partagent les terres. A **Sorel,** d'immenses usines, des chantiers navals. Là, le *Saint-Laurent* s'élargit pour devenir le **lac Saint-Pierre.** Là, débouche aussi la *rivière Richelieu,* déversoir du *lac Champlain,* route naturelle et historique des invasions indiennes, anglaises, américaines. Sorel a toujours eu une position stratégique importante. Les rives du lac et les îles sont depuis longtemps réservées aux villégiatures d'été. Les pêcheurs professionnels ou amateurs y guettent le doré, la perchaude, le brochet, la barbotte, l'esturgeon et l'anguille. La pêche se fait aussi en plein hiver, à condition de percer des trous dans la glace. Le chasseur se met à l'affût, dans le brouillard des matins d'automne, espérant le canard, l'outarde et la bécassine. Ces poissons et ces oiseaux sauvages se retrouvent dans la gibelotte de Sorel, spécialité culinaire locale.

C'est dans l'entrelacs des canaux de l'archipel fluvial que la romancière du pays, Germaine Guèvremont, situe ses héros du « Chenal du Moine ».

Yamaska, gros village agricole, tire son nom d'un mot cri. Il signifie « là où il y a beaucoup de joncs ». On y voit, en grand nombre, comme dans les autres villages de la côte, la maison traditionnelle : longue, faite de grosses pierres, couverte d'un toit très pentu, garni de lucarnes.

Près de **Pierreville,** on visite la réserve des *Indiens Abénaquis.* Ces Amérindiens y tissent de façon particulière le jonc local et mettent à fumer des filets de maskinongé. Ils tiennent à **Odanak,** un musée qu'on se doit de visiter.

Nicolet, à l'extrémité est du « lac » Saint-Pierre, fut une antique et importante ville, riche en églises, chapelles, couvents. Les forces conjuguées de la déchristianisation et d'un brutal séisme en ont fait une cité qui tire encore son charme d'une vie très ralentie. A Sorel et à Lobtinière, on trouve des bacs à horaires réguliers qui permettent de passer sur la rive nord. Entre Nicolet et Sainte-Angèle-de-Laval, le Pont Laviolette franchit le Saint-Laurent, menant aux **Trois-Rivières.** Partout, au long de la route, on trouve des petits hôtels, motels, terrains de camping, zones de pique-nique aménagées. Il y a aussi de nombreux antiquaires. On trouve chez eux de vieux meubles québécois et des objets dont on se servait il y a cinquante ans dans les maison rurales : jarres de grès, fer à repasser en fonte, planche à laver, harnais, brocs et cuvettes de toilette, lampes à pétrole, barattes, rouets, et autres objets familiers que le progrès a rendu inutiles depuis moins d'un demi-siècle. Ce bric-à-brac peut faire sourire l'Européen qui a une autre vision de l'antiquité des choses. Il est précieux aux yeux des Québécois, au passé si récent, qui aiment se souvenir du temps où ils étaient des ruraux.

Bientôt on arrive à **Saint-Nicolas.** Déjà ce sont les faubourgs de Québec. De Saint-Lambert à cet endroit, il y a 170 milles. La traversée de tant de villages, les occasions de s'arrêter ne permettent pas de rouler à une bonne moyenne.

Direction la Gaspésie

Le Saint-Laurent, c'est la mer

De Lévis à Berthier, 26 ml (42 km); à Montmagny, 36 ml (58 km); à Saint-Jean-Port-Joli, 58 ml (93 km); à Rivière-du-Loup, 117 ml (188 km).

Au lieu de franchir le pont Pierre-Laporte (il vous mène à Québec), vous pouvez suivre cette *« route du Bas Saint-Laurent »* vers la Gaspésie.

Vous passez **Lévis-Lauzon,** cités-sœurs très industrielles, remarquables par leurs chantiers navals. Les rues en pentes, où se pressent de vieilles demeures, montent vers la terrasse à la cime de la falaise. En face, magnifique sur son promontoire, se dresse Québec. Un peu plus loin, la vue embrasse l'île d'Orléans et la Côte de Beaupré. Jusqu'à Rivière-du-Loup, deux possibilités : une excellente autoroute (qui sera prolongée tout le long de la côte); ou encore la route de la rive.

Première étape : **Berthier-sur-Mer.** Car on ne longe plus Magtokoek, le nom antique et amérindien du Saint-Laurent (Magtokoek signifie « fleuve aux grandes eaux »). C'est déjà l'Océan. Eau salée, douée de marées; au flux, elle déploie ses lames et ses rouleaux crétés d'écume; au jusant, découvre les rives découpées, sableuses ou couvertes de galets et d'algues. L'air est vif. Chaque village côtier a son port, son quai ou son échouage (en québécois un « barachois »). Phares et amers garnissent la côte. Beaucoup de stèles rappellent des naufrages. On voit des maisons de marins comme en Bretagne, des plages, des villégiatures style 1920; elles soulignent qu'avant l'ère des grands voyages d'été venaient là de riches familles d'Amérique du Nord. Dans les falaises nichent le goéland argenté, l'eider, le cormoran. Il n'est pas rare d'apercevoir sur l'eau des troupeaux de bélugas, parfois des loups-marins. Bien avant Jacques Cartier, des Basques et des Bretons ont chassé ces mammifères aquatiques. Ils ont dû relâcher dans les anses. Peut-être s'y installer, pionniers inconnus, dont la trace existerait encore dans quelques chromosomes des gens de cette région.

C'est aussi, comme pour tous les anciens établissements de colonisation, des terres concédées en fief sous l'Ancien Régime. On reconnaît à travers la campagne de solides manoirs, des églises anciennes, les restes de moulins banaux et surtout la présence d'une longue humanisation. On continue à venir passer des vacances sur toute cette côte. On y chasse à l'automne le canard, l'outarde et l'oie blanche. Ces migrateurs s'abattent en troupes compactes et bruyantes à la bonne saison, pour refaire leurs forces, trouver leur nourriture le long des grèves et sur les îles du feuve.

A partir de l'**Islet-sur-Mer,** on entre dans une zone célèbre par ses artisans. Ils sculptent surtout le bois. **Saint-Jean-Port-Joli** est leur capitale. Le premier sculpteur, Bourgault, suivi de ses enfants, neveux et cousins, de ses émules, a créé là une industrie rentable. La demande touristique fait que, de plus en plus, hélas!, les pièces sont fabriquées en série. Taillés dans le pin blanc, on retrouve en quantités industrielles le-petit-vieux-fumeur-de-pipe ou la-grand-mère-qui-tricote. On achète aussi des maquettes de voiliers. On peut même acquérir (un cadeau original à rapporter) la boîte de pièces taillées et d'accessoires divers qui permet, chez soi à la veillée, d'assembler et de coller une grande goélette, ou un clipper de course, toutes voiles au vent. L'artisanat se trouve aussi sous formes diverses dans les nombreuses boutiques : tissus, mosaïques, émaux, cuivre martelé, broderies, peintures. L'église vaut une visite. A l'intérieur, les artisans d'il y a deux cents ans ont orné voûtes, boiseries et mobilier, attestant que l'art de la sculpture est très ancien dans cette petite ville.

Dans nombre de village de la région, on peut trouver dans chaque temple de remarquables œuvres d'art.

Au bout, le Finistère

De Rivière-du-Loup : à Trois-Pistoles, 29 ml (47 km) ; à Rimouski, 64 ml (103 km) ; à Sainte-Flavie, 83 ml (133 km) ; à Matane, 121 ml (195 km) ; à Sainte-Anne, 178 ml (286 km) ; à Cap-des-Rosiers, 299 ml (481 km).

Rivière-du-Loup est une des plus jolies villes du Québec. Elle s'étale dans la verdure sur le flanc d'une montagne. Après une série de chutes, la rivière du Loup se jette près de là dans le Saint-Laurent. On voit de très belles villas entourées de jardins, des

Sur les bords du Saint-Laurent, Rivière-du-Loup

piscines, golfs, tennis, manèges, marina. Un bac conduit sur l'autre rive du fleuve, déjà très large, à **Saint-Siméon.**

La route, de plus en plus accidentée, passe parfois sur des ponts couverts.

A **Trois-Pistoles,** on trouve un bac pour **les Escoumins** sur la rive d'en face. **Bic** se trouve au creux d'une immense baie, parsemée d'îlots et de rocs. **Rimouski** (en indien « terre de l'orignal ») fait pendant à Rivière-du-Loup. Ville administrative, commerciale; on y trouve un des *campus de l'Université du Québec.* On y visite un intéressant *musée régional.* A **Pointe-au-Père,** longtemps ont habité les pilotes du Saint-Laurent, corporation quasi-familiale de marins, spécialisés dans la conduite difficile des navires en route pour Montréal ou allant de ce port vers la mer. A Saint-Père également, bac pour Baie-Comeau.

A **Sainte-Flavie,** une route se dirige vers le Sud-Est pour se terminer à l'extrémité méridionale de la péninsule de Gaspé. Nous reparlerons de **Matapédia,** clef du parfait tour de la Gaspérie.

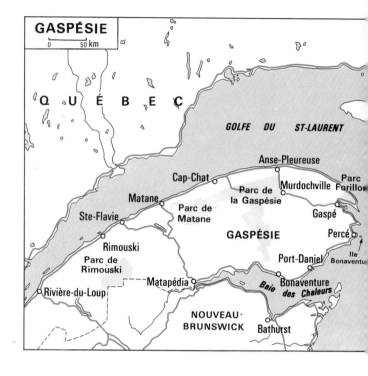

En suivant la côte, on avance donc vers cette Gaspésie un peu mystérieuse, avant-poste du Québec sur l'Atlantique, terre rude, difficile à cultiver. De ses trois richesses, la pêche est en déclin; la forêt ne fait plus vivre son homme; seules des mines, isolées à l'intérieur, donnent un peu de travail à quelques Gaspésiens qui travaillent dur à extraire et concentrer le minerai de cuivre. Dans la capitale minière, **Murdochville,** les vapeurs industrielles tuent tout gazon, tout arbre, toute fleur. Le tourisme sauvera-t-il cette contrée? Dans sa plus grande partie, le climat est rude en hiver, le printemps tardif. Le court été somptueux fait croire aux estivants que c'est le paradis. Parce qu'ils vivent loin du cœur vivant du Québec, les Gaspésiens doivent payer plus cher tout ce qu'ils achètent et revendent. Le touriste l'oublie parfois, qui doit dépenser plus qu'à Montréal pour vivre dans cette belle et sauvage contrée.La route côtière qui chemine parfois à pic au-dessus de la mer est taillée dans le flanc des pentes abruptes conduisant au massif Gaspésien, fait de roches très anciennes. On ne peut rouler vite; d'autant plus qu'à chaque tournant s'offrent à la vue d'admirables panoramas.

Matane, près de la rivière du même nom, est célèbre pour ses fosses à saumons. La pêche y est permise sous certaines conditions.

De village en village (des noms à retenir : Anse-Pleureuse, Gros-Morne, Manche-d'Épée, Pointe-à-la-Frégate), on arrive à la pointe de la péninsule : **Cap-des-Rosiers,** célèbre pour son grand phare. On est au bout du Québec continental, très exactement en face de la Bretagne, sœur de cette côte. D'ailleurs, en amérindien, Gaspésie veut dire « là où la terre se termine ». C'est un autre Finistère.

Le paradis des oiseaux

De Cap-des-Rosiers : à Penouil, 13 ml (21 km) ; à Gaspé, 23 ml (37 km) ; à Percé, 72 ml (116 km).

Près de Cap-des-Rosiers, commence le grand *parc fédéral de Forillon.* La faune et la flore y sont protégées ; forêts, vallées, terrasses dominant la mer, rochers déchiquetés par l'Océan, composent ce domaine pourvu de terrains de camping et de pique-nique.

A **Penouil,** on est déjà à l'intérieur de la grande baie de Gaspé. Penouille vient d'un mot basque qui signifie péninsule et rappelle l'établissement précartiésien de marins européens. Les Basques ont eu les Vikings comme voisins sur ces côtes. La sœur d'Éric-le-Rouge, première femme blanche venue au Canada, serait enterrée quelque part sous un cairn.

Gaspé est surtout célèbre pour la visite qu'y fit, en 1534, le malouin Cartier et la première croix qu'il planta en Nouvelle-France, afin de la déclarer possession du roi. La ville, grâce à ce geste, mérite son orgueilleux titre de « berceau du Canada » que rappelle un festival d'été. Les malheurs de l'histoire ont privé Gaspé du grand port commercial et militaire qu'elle se devait d'avoir. Les maîtres anglais du Dominion ont préféré installer leurs bases à Halifax et à St-John. Ce n'est qu'au cours des deux guerres qu'ils se sont aperçus que ce mouillage immense était le plus sûr et le plus proche des côtes de l'Europe. Au moins, le magnifique plan d'eau pourrait-il être ouvert à tous les plaisanciers de la côte est de l'Amérique du Nord. Certains Gaspésiens rêvent d'un Port-Grimaud du Québec bâti là. Gaspé ne possède qu'une petite marina. On y trouve cependant des bateaux permettant, à bon compte, d'aller pêcher en mer le thon et le maquereau. Les rivières qui se jettent dans la baie sont très favorables au saumon. Gaspé est desservie par un aéroport important : liaisons régulières avec Montréal, Québec, Mont-Joli, les îles-de-la-Madeleine et Antiscosti.

La ville de **Percé,** rivale de Gaspé, est riche d'un équipement hôtelier qui en fait une remarquable station de tourisme. Il faut dire qu'elle a pour elle d'être installée entre deux baies agréables, sur un large promontoire, dominé par une série de som-

Le Rocher Percé, vu par un lithographe en 1866

PERCE ROCK, C.E.

mets. A cent pas de la côte, le célèbre *Rocher Percé.*
Énorme étrave de calcaire silicieux, farcie de fossiles
du type trilobite, archimillionnaire en années, pourvue
en outre d'une arche naturelle de 20 m de haut.
C'est le bloc de craie troué le plus photographié
du monde.

Un peu plus loin, au large de cet Etretat québécois,
l'**île Bonaventure** (encore une trouvaille de
Jacques Cartier) est le nichoir protégé de milliers
d'oiseaux de mer qui, depuis toujours, ont choisi ce
site touristique pour venir y perpétuer leur race. On
dénombre quelques 50 000 fous de Bassan qui
piaillent dans tous les trous de la falaise, volent haut
dans le ciel ou au ras des flots, mêlés aux mouettes,
goélands, guillemots et marmettes, marcareux, cor-
morans et autres oiseaux de mer.

Des petits bateaux vitrés conduisent les touristes
autour du Rocher Percé, font le tour de l'île des
oiseaux — court arrêt pour y laisser ou ramener des
passagers — puis reviennent au bout d'une heure et
demi à leur quai.

La chasse à l'agate

De Percé à Matapedia : 169 ml (272 km).

Autre plaisir de Percé, les promenades sur les plages
à marée basse. On peut aller presque à pied sec
jusqu'au fameux Rocher, ramasser sur l'estran le
bigorneau commun, l'étoile de mer, la patelle, la
moule et l'oursin. En fait, ce que chacun recherche,

c'est l'agate, pierre semi-précieuse délicatement colorée. Il y en a en grande quantité sur le rivage, mais hélas, à l'état brut, elle ressemble à s'y méprendre aux millions de galets au milieu desquels elle se cache. Seuls des yeux bien exercés peuvent discerner ces trésors. D'autres plages de la côte, notamment celle de l'**Anse-à-Beaufils,** constituent des gisements assez riches. Les collectionneurs malchanceux peuvent toujours visiter les nombreux magasins d'artisans de Percé qui savent trouver et polir ces belles pierres et les monter en bijoux. On peut voir encore des agates et bien d'autres choses au *Centre d'histoire naturelle* où sont présentées toutes les ressources de la côte.

Autour de la belle station dotée d'un *Centre d'art et d'une Auberge de jeunesse,* on peut faire, dans la partie montagneuse, de très belles promenades. Seules les personnes très réfractaires au froid certains jours de la belle saison, se baignent dans la mer. Pour les autres, une piscine chauffée, au bord de la plage, permet les ébats aquatiques.

Le meilleur *restaurant* est le célèbre *Gargantua,* admirablement situé sur la hauteur, avec vues sur la montagne, les vertes vallées intérieures et la mer. Il vaut mieux retenir sa table, surtout le soir. On loue aussi des chambres; un terrain de camping y est attenant. Les propriétaires, le Breton Pierre Péresse et sa femme, savent profiter des ressources de l'Atlantique, notamment des homards, pour embellir leur carte.

Un des concurrents du Gargantua est le *Rabelais.* Ces noms en disent long sur la vocation gastronomique de Percé. Autre très bon restaurant de la région : *l'auberge Fort Prével;* l'établissement, salle à manger et chambres, situé au milieu d'un parc (plage, tennis et golf), appartient au Ministère du tourisme de la Province. Ancienne base militaire, le terrain et les bâtiments forment un ensemble agréable au bord de la mer. Il est traditionnel après un séjour à Gaspé et Percé de faire le tour complet de la Gaspésie jusqu'à **Matapédia.**

On peut traverser toutes les paroisses de la côte, essayer toutes ses plages, rivières à truites et à saumons. On remarque souvent près des rivages, des séchoirs à morues, appelés vignaux, inventés autrefois par les Terres-Neuvas et encore utilisés par les Gaspésiens côtiers.

Le littoral sud de la Gaspésie est relativement tempéré par rapport au reste de la Péninsule. Il borde ce petit golfe que Jacques Cartier (encore lui) a baptisé, un jour d'exaltation et d'été, *Baie des chaleurs.*

Au fond de cette baie, au confluent des rivières Matapédia et Restigouche (on trouve là une *réserve*

179

indienne et un *petit musée historique*) commence la route 6 vers **Sainte-Flavie**. Elle longe la rivière qui coule en partie dans des gorges profondes, des forêts ininterrompues de conifères, qui fournissent leur pulpe aux « moulins à papier »; dans les clairières, quelques villages agricoles perdus.

La Gaspésie secrète

De Matapédia à Sainte-Flavie : 96 ml (154 km).

De nombreux parcs provinciaux ont été créés au cœur de la Gaspésie. Excursionnistes, pêcheurs, chasseurs (pas partout) peuvent y louer des chalets ou camper. La Gaspésie montagneuse n'est pas bien pourvue en stations de sports d'hiver. Tant mieux ! disent les vrais connaisseurs qui aiment faire de la raquette et du ski libre dans ce territoire de 240 000 kilomètres carrés. Seul son pourtour est peuplé et son centre montagneux n'est parcouru que par des chemins forestiers, ignorés des automobilistes. Les vrais amoureux de la Gaspésie déplorent le déferlement des touristes, surtout américains, sur les plages, il n'y a pas si longtemps, réservées à quelques initiés, amateurs de bains froids, chasseurs d'agates et passionnés de foie de morue frais.

Dominant la péninsule, les *monts Chic-Chocs,* dernier avatar des Appalaches avant qu'ils ne disparaissent dans l'Océan, possèdent autour de hauts sommets, de secrètes zones de toundra, des plateaux forestiers ignorés, des vallées à torrents, des lacs, des rivières inconnues. Là, le caribou, l'orignal, le saumon, le lièvre, ne craignent que les rares braconniers et les prédateurs qui les guettent. Cette réserve de calme et de solitude risque d'être dilapidée par les entreprises qui exploitent intensivement la forêt ou les sols métallifères.

Pour revenir de Gaspésie à Montréal, il existe un autre chemin que la bretelle Matapédia-Sainte-Flavie; il passe par le nord du Nouveau-Brunswick, contourne l'État américain du Maine. C'est la *route du Grand Portage.* Elle reliait autrefois l'Acadie au Québec, passant au long du *lac Témiscouata* (en indien « c'est profond partout »), pour aboutir à **Rivière-du-Loup**. Là, on peut prendre le traversier pour **Saint-Siméon** et revenir par la côte méridionale. Pour le plaisir de passer par ces petites cités qui s'appellent **Sainte-Rose-du-Dégelé** ou **Saint-Louis-du-Ha ! Ha !**, — y envoyer des cartes postales aux amis incrédules — cette variante en vaut la peine.

Romantique vallée de Richelieu

De Sorel à Saint-Denis, 19 ml (31 km) ; à Chambly, 22 ml (35 km) ; au lac Champlain, 21 ml (34 km).

Bien sûr, en prenant, à partir de Montréal, la route qui longe la rive sud du Saint-Laurent, vous n'êtes pas obligé d'aller jusqu'en Gaspésie et d'en faire le tour pour revenir dans la Métropole par les différents chemins des écoliers qui s'offrent à vous.

Le long de la voie côtière, de Montréal à Québec, plusieurs variantes vers le Sud sont possibles.

Ainsi, entre Sorel et la frontière canadienne vous est ouverte l'historique *vallée de la rivière Richelieu.* En remontant ses eaux, croisière classique pour plaisanciers canadiens, on aboutit au *lac Champlain,* situé en partie aux États-Unis ; de là, par la rivière Hudson, on arrive autour de New York aux portes de l'Atlantique. En voiture, la remontée se fait par une route sinueuse qui court jusqu'au poste frontière de **Rouses-Point,** dans une plaine très fertile. Elle est découpée en rectangles pour les besoins des agriculteurs ; ils se livrent à l'élevage et, dans les parties où la terre est très noire, se taillent de grands potagers et des vergers plantureux, festonnés de bosquets.

A **Saint-Ours,** premier village après Sorel, vous n'êtes plus dans la géographie, mais dans l'histoire. La paroisse date de 1650 (ce qui au Québec s'apparente à l'ère mérovingienne). Elle fut, avec son territoire, cédée en fief à Pierre de Saint-Ours, un des officiers du régiment de Carignan. C'est là qu'a débuté, en 1837, la rébellion manquée des Patriotes, qui a gagné toute la vallée pour s'étendre autour de Montréal.

Sur les deux rives de la rivière, bordée de prairies, de pommeraies, de bois et de villages, de belles résidences de pierre de taille, certaines très anciennes.

Saint-Marc est célèbre parce qu'on y trouve les meilleurs restaurants de la vallée, notamment celui des *Trois Tilleuls* et l'*Auberge Handfield :* chambres campagnardes, bonne cave, bonne table, petit port pour mini-voiliers où vient s'amarrer l'été *L'Escale,* un *bateau-restaurant-théâtre.* On se promène sur le pont pendant la croisière. En eaux calmes, on assiste au spectacle, on prend un verre au bar, on déguste à la salle à manger le filet de doré amandine, le coulibiac de saumon ou l'esturgeon fumé de Verchères.

A Chambly, la rivière s'élargit. On y visite les restes d'un *vieux fort restauré* et *un musée.* Les ports de plaisance, les plages, les terrains de camping sont nombreux sur les deux rives que fréquentent aussi les pêcheurs d'achigan, de brochet et de perchaude. Puis, c'est le *lac Champlain* et *la baie de Missisquoi,* immenses plans d'eau, compliqués par des chaussées et des îles bordées de joncs, où s'ébattent entre États-Unis et Canada des oiseaux aquatiques.

Après **Belœil,** le cours d'eau est dominé par la grande masse du **Mont Saint-Hilaire,** frère géologique du Mont-Royal. Il porte à son sommet un lac, sur ses flancs des vergers dans lesquels dominent les pommiers. Le ski en hiver, les arbres en fleurs au printemps, les excursions en été, l'achat des pommes à l'automne, attirent les Montréalais toute l'année vers ces lieux.

Vue de l'Estrie

De Montréal : à Rougemont, 25 ml (40 km) ; à Granby, 45 ml (72 km) ; à Eastman, 67 ml (108 km) ; à Sherbrooke, 94 ml (151 km).

Un peu plus loin, au sud du Saint-Laurent, se trouve la région de **Sherbrooke,** ville de 82 000 habitants, construite sur une série de collines, ceinturée en partie d'une banlieue verte et fleurie, en partie d'établissements industriels. On y trouve aussi le large campus de l'université locale. Sherbrooke est la capitale des Cantons de l'Est, ces terres autrefois concédées aux loyalistes anglo-saxons, mais depuis longtemps aux mains de Canadiens francophones. Un peu partout, toutefois, une minorité de Canadiens anglais, propriétaires de petites industries ou de commerces, cadres d'entreprises importantes, conservent une forte influence à la tête des municipalités et imposent leur style particulier.

C'est pourquoi dans cette région qu'on appelle aussi l'*Estrie,* on trouve tant de noms anglais. Très pastorale, creusée de grands lacs d'origine glaciaire, peuplée de petits bourgs très soignés : pelouses, maisons de bois peintes en blanc, clôtures de feuillages, vergers qui rappellent des coins de la Nouvelle ou ancienne Angleterre.

Au long de la route, vers ou à travers cette Estrie, on traverse les hauts-lieux de la pomme et du cidre, notamment **Rougemont** et **Saint-Paul-d'Abbotsford.** Les producteurs ont accoutumé d'installer sur des stands, le long de la route, leurs produits qu'ils proposent aux automobilistes : pommes nature, au sirop, en gelée, mais aussi sucre d'érable sous toutes ses formes, miel, et suivant la saison, fraises, œufs ou legumes On voit aussi des objets de l'artisanat féminin : broderies, tapisseries au crochet, tissages et tricotages, accompagnés parfois de productions mécaniques du type chromos, imprimés sur fond de velours noir. Si, dans la tradition, Sherbrooke est la reine des Cantons de l'Est, **Granby** en est la prin-

L'abbaye bénédictine de Saint-Benoît-du-Lac

cesse; autre petite ville industrielle qui a mis sa coquetterie à parer et à fleurir son centre. Son *zoo* est célèbre.

A voir aussi **Eastman,** au bord de son *lac d'Argent,* **Magog** sur les rives du *lac Memphrémagog,* dont la pointe sud se termine dans l'État voisin du Vermont. Plus on se rapproche de la frontière des États-Unis, plus la région est montagneuse et boisée. Là, sont des stations de ski très fréquentées, telle **Sutton,** au centre d'un district de résidences secondaires toutes saisons. Beaucoup de Montréalais choisissent même d'habiter « à l'année longue » cette région semi-montagneuse, bien desservie par une autoroute, garnie de lacs et traversée de jolis cours d'eau comme la *rivière Saint-François* ou la *rivière Yamaska.*

Autre belle pièce d'eau entourée de hauteurs où foisonnent les érables et les conifères : *le lac Massawipi.* Le village de **North-Hatley,** situé sur ses rives, est surtout fréquenté par des écrivains, acteurs et artistes.

Le centre le plus anglophone de toute cette région est **Lennoxville.** On y visite la petite et très britannique *université Bishop* (celle de l'évêque anglican), le mini-Oxford du Québec.

A voir aussi la villégiature de **Bromont,** près du *lac Brome* et fort élégante, très moderne, dans un site admirable, la grande *abbaye* bénédictine *de Saint-Benoît-du-Lac.* On y trouve l'hospitalité traditionnelle de l'ordre. Si vous entendez dire qu'un de vos amis québécois s'y trouve, cela ne veut pas forcément dire qu'il postule son entrée en religion. C'est peut-être un homme d'affaires un peu surmené, un auteur à la recherche de l'inspiration, un citoyen qui a soif de calme; reçus gracieusement dans le monastère, ils y gardent leur liberté de rencontrer ou non les moines, mais ne manquent pas d'aller aux offices au moins, pour les entendre chanter merveilleusement le grégorien.

Le pays des sucres

De Sherbrooke à Thetford-Mines : 66 ml (106 km).

Dans toute cette partie du Québec, au visage si particulier et riant, on trouve des possibilités récréatives et touristiques, des industries de transformation, principalement le textile, d'ailleurs en régression et une richesse très rare au monde : l'amiante.

Les deux villes importantes, situées entre le Saint-Laurent et la frontière américaine, s'appellent **Thetford-Mines** et **Asbestos** (mot anglais qui signifie amiante). Joseph Fecteau a, en 1876, trouvé en labourant une parcelle de son rang, une roche merveilleuse; de teinte verte jade, on pouvait, en la grattant, en détacher des fibres minérales douces comme la soie. Des hommes d'affaires des États-Unis eurent vite fait de mettre la main sur le plus grand gisement d'amiante du monde, exportant dans leur pays le minerai brut où il est transformé en sous-produits de grande valeur. Les deux cités de l'amiante sont bâties autour d'énormes cratères, l'exploitation se fait surtout à ciel ouvert; elles sont entourées de hauts terrils que le vent caresse, emportant les ténus filaments silicatés dans les poumons des habitants de ces villes minières.

Un peu au nord, commence la *région des Bois-Francs.* Dans la parlure locale, ce terme désigne des essences non résineuses : le hêtre, le tilleul, le

Au printemps, la fête des « sucres »

merisier, l'orme, bois très utiles pour la fabrication de meubles, de petits navires et autres objets de la vie courante. Ainsi, trouve-t-on autour de **Victoriaville** de nombreuses fabriques de mobilier. L'arbre le plus répandu dans cette contrée est l'érable sucrier. **Plessisville** est le vrai centre de l'industrie acéricole, entendez la fabrication, à partir de la sève des érables, de sucres et sirops. Depuis longtemps, les Indiens connaissaient ce secret. Ils savaient que de l'arbre dont les feuilles rougissent violemment en automne, si l'hiver a été longtemps froid et provoqué de copieuses chutes de neige, si au printemps se sont succédées des périodes de soleil hâtif et de gels nocturnes, de l'érable entaillé, coule une eau un peu insipide. Patiemment concentrée par la chaleur, elle devient poisseuse, puis liquoreuse, chargée soudain d'un parfum typique. Refroidi brusquement, ce sirop se cristallise. Les Canadiens ont fait de la récolte et de la transformation de la sève d'érable un rite de passage solaire. Le temps des sucres, à la fin d'un hiver qui n'en finit pas, annonce les jours revenus de la tiédeur. On les fête, en allant en groupe à la « cabane à sucre ». On déguste le sirop chaud, on en arrose les crêpes, on y fait cuire des œufs, il coule sur le jambon de ferme, on le verse sur les plaques de la dernière neige pour qu'il devienne au milieu des rires la « tire » que l'on ramasse à l'aide d'une palette de bois. Les enfants et les moins jeunes s'en régalent à pleine langue. On boit aussi l'alcool blanc mêlé de vin. On danse, on s'amuse. Un autre hiver va finir.

Une curieuse Beauce

De Sherbrooke à Beauceville : 95 ml (153 km).

Coincée entre les Bois-Francs, les bords du Saint-Laurent et l'État du Maine, autour de la vallée de la *rivière Chaudière,* se trouve *la Beauce.* Cette contrée ne ressemble absolument pas au terroir chanté par Péguy. La Beauce du Québec est une marche aux paysages heurtés, composée de collines, de sapinières, de terres agricoles parsemées de blocs erratiques et d'érablières. Ce qu'il y a de plus remarquable dans ce Québec trés excentrique, ce sont les Beaucerons eux-mêmes. Ils ont une nature très particulière. Très attachés à leurs coutumes, à leur parlure et à leur accent caractéristique, contraints secrètement par des pensers très profonds, ce sont de bons vivants, amateurs de veillées, grands raconteurs d'histoires, « gens de parole et gens de causerie », comme le chante le poète Gilles Vigneault.

Vers Québec par le Chemin du Roy

De Montréal : à Repentigny, 15 ml (24 km), à Trois-Rivières, 84 ml (135 km) ; à La Pérade, 108 ml (174 km) ; à Québec, 156 ml (251 km).

Pour aller de Montréal à Québec, on peut aussi choisir la route de la rive Nord, la plus ancienne. Avant 1734, les Canadiens n'avaient pas le choix : il fallait embarquer sur une goélette et espérer un bon vent. Les intendants de la Nouvelle-France ont réussi à ouvrir une voie carrossable. Il fallait à l'époque 4 à 5 jours pour faire le trajet dans des voitures à chevaux, ralenties par les relais, les passages des rivières, à gué ou sur des ponts de bois. On dormait la nuit dans de rares auberges ou chez l'habitant. C'était le *Chemin du Roy,* tracé au bord du fleuve.

A partir de Montréal, on le parcourt encore. Aujourd'hui, il commence par la traversée de longues banlieues neuves, axées sur d'anciens villages. On les devine à leurs maisons de « pierres des champs » leurs manoirs et églises de vieux style.

La cité des **Trois-Rivières** demeure l'étape traditionnelle. Là aussi la bourgade, créée par le sieur de Laviolette en juillet 1634, n'a pas gardé grand chose de son passé historique. Son développement industriel, fondé sur le bois, la pulpe et le papier, l'a profondément modifiée; de graves incendies, au début de ce siècle ont détruit les vieux quartiers. Lorsqu'on survole cette ville, qu'on la regarde par le hublot de l'avion, on comprend très bien son nom. Il n'y a en fait qu'une seule *rivière,* la tumultueuse *Saint-Mau-*

rice. Elle descend des hauteurs du « bouclier canadien », château d'eau du Québec ; là où elle se jette dans le Saint-Laurent, deux grosses îles barrent son confluent, la forcent à se diviser en trois bras. Au long du delta, un important port de commerce, rarement bloqué par les glaces hivernales. Les eaux de la Saint-Maurice, qui traversent du nord au sud un immense domaine forestier, sont favorables au flottage des longues bûches papetières. Le courant alimente aussi des usines hydro-électriques qui fournissent l'énergie nécessaire aux « moulins à papier ». Là, le bois, déchiqueté par de lourdes meules de grès, ou mitonné dans des autoclaves géants bourrés de sulfate, devient une pâte lisse (à cause de ce procédé chimique, toute la ville et ses environs baignent dans une odeur sulfureuse, qui permet au voyageur de savoir de très loin qu'il atteint la capitale mondiale du papier). Les lourds rouleaux de papier, principalement destiné aux journaux, trouvent leur place dans les soutes des cargos ou dans les wagons de chemin de fer de cet important centre ferroviaire. D'autres industries enrichissent aussi Les Trois-Rivières, notamment les fabriques de matériel électrique. Ses habitants insistent surtout sur son caractère touristique : *port de plaisance,* possibilités de croisières fluviales, visite des restes de son *vieux quartier,* demeures du XVIe siècle, vieux couvent des Ursulines d'architecture normande, terrasses le long du fleuve, une *piscine* à ciel ouvert qui est la plus vaste du continent, et une *cathédrale* remarquable.

A la sortie de la ville, deux pôles d'intérêt : les *Forges du Saint-Maurice,* effort des premiers administrateurs de la colonie qui ont voulu tirer parti de gisements de minerai de fer. Ils ont fait construire des hauts-fourneaux qui fonctionnaient au bois et qui, pendant des années, ont produit du fer en barre et de la fonte. Cette première sidérurgie n'a été abandonnée que vers 1883. Il n'en restait que des vestiges recouverts par la forêt. Des archéologues, des historiens ont, depuis quelques années, retrouvé cet établissement, mis au jour ses vestiges. Un parc historique a été créé que l'on visite. Il donne une idée des débuts hâtifs de l'ère industrielle au Québec, le temps des forges, grâce auxquelles le Québécois pouvait se soustraire aux exportations coûteuses venues des métropoles européennes.

A *Notre-Dame-du-Cap,* une dévotion spéciale à la Vierge, fondée sur une suite de miracles, a transformé une partie de la banlieue industrielle en station mariale où les pèlerins nord-américains viennent en foule.

La pêche aux poissons des chenaux à Sainte-Anne-de-la-Pérade

Les poissons des chenaux

Entre les Trois-Rivières et Québec, le Chemin du Roy
suit le fleuve de très près, offrant de nombreux points
de vue au touriste détendu. Un village est célèbre
pour une activité d'hiver que l'on trouve un peu
partout le long du Saint-Laurent. *La pêche aux
« petits poissons des chenaux ».* On appelle ainsi le
poulamon, sorte de morue naine qui, chaque hiver,
remonte le fleuve pour venir frayer à l'embouchure
des rivières. Ce n'est pas vraiment une pêche, mais
une partie de plaisir. On loue pour la journée et la
soirée une petite cabane de bois bien chauffée
posée sur la glace. Il y en a des centaines à Sainte-
Anne-de-la-Pérade qui forment sur la baie glacée, un
curieux village provisoire. On maintient une tranchée
ouverte dans la croute gelée qui forme le plancher de
ces maisonnettes. Des lignes de pêche pendent du
plafond devant chaque pêcheur qui a muni les
hameçons de morceaux de foie de porc. Lorsque le
poulamon mord, le fil se tortille et fait tourner l'allu-
mette nouée à hauteur d'œil. Il suffit de ferrer large-

ment et d'amener la prise du fond de la rivière dans la cabane. Les bons jours, des quantités de ces petits poissons blancs sont retirées de l'eau, on en fait des festins bien arrosés de bière et de liqueurs fortes. Sur cette rive comme sur l'autre, on pêche bien d'autres poissons au printemps et en été. En automne, sur les « battures » du fleuve, on se met à l'affût pour tirer les oiseaux migrateurs, principalement les canards et les grandes oies blanches.

Le Chemin du Roy traverse Québec et, après **Sainte-Anne** (22 ml, 35 km de Québec) rejoint celui de la *Côte de Beaupré.* **Saint-Joachim** est le type du vieux village agricole, bâti sur la falaise accidentée. A visiter, tout près, le parc d'histoire naturelle du *Cap Tourmente,* escale classique des oies sauvages.

A **Saint-Tite** (35 ml, 56 km) on entre dans la *région des Caps.* La route ne peut plus suivre le bord du fleuve trop découpé où viennent mourir, dans un chaos minéral, les puissants contreforts du bouclier primaire. Elle ondule sur les hauteurs, redescend à **Baie-Saint-Paul** dans une anse fertile, bordée par de hautes masses rocheuses. Ce paysage a incité de nombreux peintres à s'installer là, qui, à leur tour ont attiré d'autres artistes, écrivains et poètes.

Le pays de Charlevoix

De Québec : à Baie-Saint-Paul, 61 ml (98 km); à Pointe-au-Pic, 90 ml (145 km); à Saint-Siméon, 116 ml (187 km).

Dans le fleuve déjà large se trouve l'*Ile-aux-Coudres* — les coudres, ce sont les noisettiers — Pendant longtemps, ses habitants ont vécu de l'industrie de la tourbe et de la pêche, prenant des poissons dans des filets fixes ou allant traquer les bélugas dans les remous du Saint-Laurent. Ceux qui ont vu les très beaux films de Michel Brault et Pierre Perrault, « Pour la suite du monde » et « Le règne du jour » ont eu une vision de cette île de pêcheurs de marsouins. Ils ont entendu leur parler et peut-être compris leurs particularités. Aujourd'hui, l'habitant de l'Ile-au-Coudres qui a repris goût à la pêche, vit surtout du tourisme. Si vous voulez visiter par une belle fin de semaine d'été cette parcelle du Québec, soyez patient; pour prendre le bac qui y mène, il vous faudra attendre votre tour dans une longue file de voitures. Il vaut mieux aussi réserver dans les petits hôtels et pensions de l'île. Si vous ne pouvez faire la traversée, consolez-vous en visitant, à **Saint-Joseph-de-la-Rive,** la *papeterie Saint-Gilles,* où, comme à Ambert en Auvergne, on fabrique, à la forme, du papier de chiffon pur, filigrané, dans lequel est incorporé, selon la saison, des pétales colorés de fleurs des champs, des feuilles d'érable rouges, des fougères. Après le village appelé **Les Éboulements,** on entre dans la région de Charlevoix.

Ici encore, les avancées du massif des Laurentides bordent la côte; la montagne épouse la mer, une montagne tranquille, faite de lignes arrondies qui évoquent d'immenses corps de femmes, couchées nues sur l'horizon. Les élévations tombent à pic vers les rivages, formant des crans, ou s'ouvrent en amphithéâtres autour des estuaires. La route chemine de vals en crêtes, offrant de merveilleux panoramas. L'arrière-pays est tout en vallées et plateaux. Là, sont des rangs très anciens aux noms savoureux, d'antiques demeures de bois, des moulins à eau au long des ruisseaux multiples.

L'écrivain Félix-Antoine Savard a décrit ce pays où il vit et raconté l'histoire de « Menaud, maître-draveur », héros qui vit périlleusement en équilibre sur les troncs flottants qu'il doit « driver » dans le sens du courant.

Le complexe touristique **Pointe-au-Pic-La-Malbaie-Cap-à-l'Aigle** rappelle le temps où cette région pittoresque, très fraîche pendant les étés, était le rendez-vous des grandes familles de l'est du Canada et des États-Unis. Elles ont construit de grandiose villas de bois très 1870. Pour elles aussi et les riches vacanciers et yachtmen a été créé le *Manoir Richelieu,* un palace entouré de terrains de golf, difficile à remplir de nos jours. L'aéroport proche de Murray Bay est desservi de Québec et Montréal par Québecair.

La région est à présent surtout fréquentée par des estivants ordinaires qui recherchent la beauté des sites; ils pêchent sur les quais, le soir au fanal, abrités de la brise par leur voiture, l'éperlan argenté.

De bonnes *auberges,* bien situées sur la côte, telle celle des *Trois-Canards* ou celle des *Peupliers,* le *motel Chez Pierre* à la Malbaie, d'aimables restaurants, tenus par des familles, installés dans de vieilles maisons, offrent de bonnes étapes. Après le charmant petit hâvre de **Port-au-Persil** — son hôtel est célèbre — on atteint **Saint-Siméon.** De là un bac, contournant l'*Ile-aux-Lièvres,* conduit en moins de deux heures sur l'autre rive à **Rivière-du-Loup.** A **Baie Sainte-Catherine,** on touche le confluent du Saguenay et du Saint-Laurent. Pas de pont. Un traversier gratuit transporte piétons et voitures de l'autre côté de l'embouchure.

En route vers la Côte Nord

De Tadoussac : à Baie-Comeau, 123 ml (198 km) ; à Sept-Iles, 268 ml (431 km).

A **Tadoussac,** on visite une petite chapelle de bois datant de 1747. Aux **Escoumins,** un peu plus vers l'est, les archéologues ont découvert les traces d'établissements successifs d'Amérindiens, installés en ce lieu avant l'époque néolithique. Bien avant Jacques Cartier, les Basques qui pêchaient la baleine, mouillaient dans l'anse, là où se jette la *rivière Sainte-Onge.* Aujourd'hui, les navires de fort tonnage y font une halte pour prendre au passage ou débarquer le pilote qui suggère aux capitaine les meilleures routes pour éviter les courants du fleuve et faire voguer leur bâtiment au beau milieu des chenaux.

A **Betsiamites** se trouve une *réserve d'Indiens* portant ce nom qui a un rapport, dans leur langue, avec la pêche à la lamproie.

Cette région appelée *Côte Nord* se fait de plus en plus désertique. La terre est peu favorable à la culture. Les Québécois qui habitaient là autrefois se nourrissaient du produit de leur pêche et de la chasse au caribou et autres mammifères. A présent, ils trouvent du travail dans les industries nouvellement implantées : à **Baie-Comeau,** l'aluminerie, la grande usine à papier créée pour approvisionner les rotatives du Chicago Tribune et plus au nord, dans la vallée de la rivière Manicouagan, les chantiers de l'Hydro-Québec qui y multiplie les barrages et les centrales. Mondialement réputées, les installations de *Manic 5* et son barrage à voûtes multiples, champion de sa catégorie. Il porte le nom du premier ministre du Québec, Daniel Johnson, décédé subitement lors des fêtes de l'inauguration en 1968. Long de 1 300 m, haut de 215, il limite un lac artificiel de 1 950 km^2 de superficie. Tombant de 155 m, les eaux sous pression alimentent quatre groupes qui fournissent près de 1 300 000 kW/h, transportés vers Montréal et sa région par des lignes dans lesquelles la tension du courant atteint 735 000 volts.

D'autres installations se trouvent sur le cours d'eau parallèle à la Manicouagan : la *Rivière-aux-Outardes.* En été, l'Hydro-Québec accueille les touristes qui veulent visiter les barrages, les centrales et les chantiers de construction. Il faut prévoir deux jours pour toutes ces excursions qui comprennent une explication de la maquette des ouvrages, la visite des lieux, la projection d'un film. Le point le plus éloigné du complexe, Manic 5, se trouve à 216 km de Baie-Comeau, par une route en partie asphaltée. On trouve sur les lieux de quoi se restaurer, mais aucune possibilité de logement. Il faut donc dormir à Baie-

Comeau-Hauterive, où il existe hôtels et motels, ou encore camper dans la nature.

Sept-Iles, humble village de pêcheurs à l'origine, a connu une expansion formidable en un quart de siècle. A 600 km au nord, de très importants gisements de fer ont été découverts et mis en exploitation. Pour transporter le minerai jusqu'à la côte, une ligne de chemin de fer, longue de 576 km, a été construite dans une région difficile. Sans arrêt, les longs trains venant de Schefferville, Labrador City ou Wabush, villes minières créées en plein désert, déversent leurs cargaisons dans les soutes des cargos amarrés au fond de la grande baie bien protégée du port très moderne de Sept-Iles. Par cette porte du Nouveau-Québec passent continuellement marins, mineurs, prospecteurs. Le commerce y est prospère, les lieux de plaisir nombreux qui rappellent, toutes choses étant égales par ailleurs, le temps des ruées vers l'or. La route tracée vers l'est jusqu'au *détroit de Belle-Isle,* face à Terre-Neuve, n'est carrossable pour l'instant que jusqu'à l'agglomération de **Moisie**; les pêcheurs sportifs de là partent pour des excursions vers les rivières très peu fréquentées où pullulent les saumons de l'Atlantique.

Pour visiter les villages de cette côte, mieux vaut prendre les petits avions qui font des sauts de puce d'un aérodrome à l'autre. On peut aussi, au départ de Rimouski ou de Sept-Iles, embarquer sur le navire *Fort-Mingan* qui relâche dans chaque port. C'est la croisière du silence et de la beauté saisissante d'une des terres les plus sauvages du monde. On visitera ainsi **Mingan** et son archipel, **Natashquan,** patrie de Gilles Vigneault, où se trouve aussi un important établissement indien. **Blanc-Sablon** est le dernier village avant Terre-Neuve. Le Québec s'arrête là, âpre et désertique. Un bac conduit au port terreneuvien de Sainte-Barbe.

En plein milieu de l'estuaire du Saint-Laurent se trouve aussi l'*Ile d'Anticosti,* couverte de forêts et parcourue de rivières poissonneuses. Elle mesure 216 km dans sa plus grande longueur. Elle a longtemps appartenu au chocolatier français Menier qui, à bord de son yacht, venait y passer l'été. Il y a transporté des cerfs de Virginie qui vivent très nombreux dans l'île. Elle est devenue ensuite la propriété d'une importante entreprise forestière qui vient de la céder au gouvernement du Québec. Il est question d'en faire un parc naturel où serait seulement permise la chasse à l'arc. Ce sera là un sport coûteux car déjà à lui seul le transport aérien rendra prohibtf un séjour dans cette île inhabitée et giboyeuse de la taille de la Corse.

La Mauricie : eaux et forêts

Des Trois-Rivières : à Shawinigan, 18 ml (29 km) ; à Grand-Mère, 26 ml (42 km) ; à La Tuque, 101 ml (162 km).

Les amateurs de chasse et de pêche n'ont pas besoin d'aller si loin. Il suffit, aux **Trois-Rivières,** de prendre la route 19 (aussi appelée 155) qui monte franc Nord, le long de la gorge tourmentée de la *rivière Saint-Maurice.* On traverse des villes industrielles que l'abondance de l'énergie électrique a attirées dans cette région hautement pittoresque. Ainsi **Shawinigan** où les usines élaborent des produits chimiques. Pour faire contrepoids à son destin industriel, la ville s'est dotée d'un *centre culturel* très actif où tous les arts se donnent rendez-vous.

Grand-mère est le nom d'une autre cité. Un grand rocher sculpté par l'érosion qui la domine rappelle le profil d'une vieille femme. Déjà les Indiens l'appelait Kokomis, ce qui dans leur langue signifie précisément grand'mère. Lorsque fut construite la centrale électrique sur la chute d'eau dominée par le célèbre Rocher, il fut soigneusement découpé à la scie, ses éléments numérotés et réassemblés au sommet d'un parc, afin de garder intacte la précieuse curiosité géologique.

On se trouve là au cœur de *la Mauricie,* connue également pour ses possibilités dans le domaine de la chasse et de la pêche. Tous les affluents de la Saint-Maurice mènent à des lacs, torrents boisés, où de nombreux camps sont à la disposition des taquineurs de truites ou des guetteurs d'orignal ou d'ours noir.

Saint-Tite, dans la même région, ville de bûcherons mauriciens, a su, au bon moment s'orienter vers les industries du cuir, du gant à la pantoufle. Ses fabricants de bottes, lancés par la mode vers la fantaisie, ont conçu en 1968 l'idée de créer un *festival western.* Depuis, tous les ans pendant une semaine, au début de septembre, la ville attire des milliers d'amateurs de rodéo. C'est la grande fête pour les Saintitais qui, tous habillés en héros du Far-West, préparent pour les visiteurs des attractions variées : cavalcades, concours hippiques, courses de chevaux, tournois de fers à cheval (la pétanque du cow-boy), prises de veaux au lasso, élection de Miss Cavalière. On circule en ville en diligence modèle Texas 1880 ou en wagon de pionnier. On mime l'attaque de la banque ou la défense de la ville cernée par les Sioux, on reconstitue des mariages style conquête de l'Ouest, on se nourrit de bœuf rôti à la braise, on organise même des soirées bavaroises à la western et des courses de chars romains. Le principal est de s'amuser. Cette petite ville de 3 000 hab., en pleine montagne, est ainsi devenue une annexe vivante des grandes plaines légendaires. Elle vit pratiquement toute l'année dans l'ambiance cow-boy : chapeau de feutre et bottes de cuir. Tout le monde se sent un peu sheriff.

Plus au Nord, **la Tuque,** autre ville papetière, doit son nom à un rocher en forme de bonnet de laine, la tuque des Canadiens français. Elle assure notamment sa promotion touristique par une grande *course de canots* : 160 km sur des eaux déchaînées de la Saint-Maurice, jusqu'aux Trois-Rivières, tous les ans, le premier lundi de septembre. Il n'y a pas si longtemps, tous les villages de la vallée servaient de base de départ aux nombreux bûcherons qui allaient travailler dans les chantiers de bois. Dur travail d'hiver. Il fallait que les grands conifères attaqués à la scie, ébranchés, tronçonnés, soient poussés sur les pentes enneigées jusqu'aux cours d'eaux gelés, en attendant le printemps qui leur permettrait de flotter, au fil de l'eau vers les usines à papier. Ces travailleurs de la « pitoune », pour la plupart cultivateurs, habitaient dans des dortoirs de rondins en plein bois, retournant chez eux à la belle saison. Aujourd'hui, l'industrie forestière s'est mécanisée à un tel point qu'il suffit de moins d'hommes pour exploiter les lots de boisés. Mais demeure dans cette région, comme dans toutes les hautes Laurentides et Appalaches, le glorieux souvenir de l'épopée des chantiers. La route de la Mauricie se termine au lac Saint-Jean.

Deux royaumes, un pays

De Québec à Chicoutimi : 160 ml (257 km).

On peut aussi atteindre cette région en partant de Québec. On prend la direction Nord, à travers le *parc des Laurentides* (un million d'hectares), traversé par une excellente route. Des signes imagés indiquent fréquemment des traversées d'orignaux ou de caribous ; ces avertissements ne sont pas là pour la couleur locale, les animaux peu chassés sont chez eux dans ce grand domaine protégé et s'aventurent volontiers sur le chemin carrossable ; gare à l'automobiliste inattentif qui heurte un cervidé.

Dans le parc, *l'auberge provinciale de l'Étape* offre une excellente salle à manger, à mi-chemin entre la capitale et Chicoutimi. On peut aussi loger dans des pavillons de bois et profiter de nombreuses facilités récréatives.

Au sortir du parc, on entre dans le *Saguenay-Lac Saint-Jean*. C'est un « pays » composé de deux « royaumes ». L'étranger, c'est-à-dire celui qui

n'appartient à aucun des deux, se doit de ne pas les confondre; Saguenéens et Jeannais fiers d'appartenir collectivement au même ensemble, n'aiment pas trop qu'eux et leur contrée soient pris l'un pour l'autre.

Géographiquement parlant, on ne saurait se tromper : le *Saguenay,* plus qu'un fleuve est une mer. Largeur moyenne 1,50 km. Longueur 104 km. Elle déploie ses eaux sombres entre de hautes falaises crénelées parfois à pic. C'est un fjord, très creux jusqu'à la ville de Chicoutimi (nom indien qui signifie « jusqu'où l'eau est profonde »). Le *lac Saint-Jean* qui fait suite est une immense cuvette, elle aussi creusée par les glaciers, mais qui, tout autour, ont laissé en terrasses d'épaisses couches d'une argile fertile.

Saguenéens et habitants du lac Saint-Jean ont en commun une imagination créatrice, un goût de vivre étonnant et des qualités d'hospitalité sans bornes. Quiconque arrive et ne critique rien est accepté d'emblée. Autre région riche en électricité, le Saguenay a attiré des industries qui en font une forte consommation : le papier, bien entendu, mais aussi l'aluminium. La bauxite arrive d'Afrique, de la Jamaïque ou de la Guyane (ex-britannique). Les minéraliers qui la transportent n'ont guère de mal à remonter le Saguenay où ils déchargent à **Port-Alfred,** au fond de la Baie des Ha! Ha!, dans un des bras du fjord. A **Arvida,** la bauxite est transformée en lingots brillants dans les immenses usines de la société Alcan (des visites sont organisées en juillet et août).

Chicoutimi, bâtie en gradins de chaque côté de la rivière, est une ville très vivante; la vie nocturne ne l'est pas moins, surtout en fin de semaine. Selon une expression locale, le Chicoutimien aime « foirer » c'est-à-dire faire la foire.

Le Carnaval du froid

De Chicoutimi : à Péribonka, 67 ml (108 km) ; à Mistassini, 83 ml (133 km) ; à Dolbeau, 84 ml (135 km) ; à Saint-Félicien, 120 ml (193 km).

Ce goût de plaisir s'exalte particulièrement tous les ans pendant la semaine qui précède le Mardi-Gras. Il fait très froid à Chicoutimi dans ce temps-là et les tempêtes de neige frappent durement cette région du nord du Québec. Pour conjurer l'hiver, les gens du Saguenay ont inventé un très joyeux *Carnaval.* Toutes les femmes s'habillent comme le faisaient leurs arrières-grand-mères : crinolines, capotes bordées de fourrures, grands manteaux de drap. Les hommes qui se sont laissé pousser barbe et moustaches tout l'hiver, sortent les hauts-de-forme de castor et les pelisses du papa de grand-papa : les organisateurs de ce festival du grand froid joyeux proposent des dîners en plein air (la bonne grosse charcuterie, le pain de ménage juste sorti du four et les rasades de caribou ou de vin de bleuets, aident à ne pas geler sur place). A l'issue de la grand-messe, on reconstitue le temps où le crieur public lançait des avis et où les « encanteurs » organisaient des enchères publiques (on peut vraiment ainsi acheter un cochon de lait ou des poulets vivants). A la piscine, chacun revêt les costumes de bain d'un autre siècle ; les danses au coin des rues, les parades de skieurs ou de raquetteurs aux flambeaux, les épreuves dotées de prix entre bûcherons, le concours de la plus belle barbe sont autant d'occasions de s'amuser entre soi. Et avec les autres, car au fil des années, ce Carnaval du bout du monde attire les grandes foules.

Pour qui vient l'été dans la région, il est d'autres plaisirs. Celui, par exemple de faire une *croisière* sur le Saguenay, à bord de *la Marjolaine,* dotée d'un bar et d'une salle à manger où sont servis les mets de la région et d'un pont couvert sur lequel on peut danser. C'est un véritable voyage : le petit navire blanc quitte Chicoutimi à 8 h 30 du matin, s'arrête à Tadoussac au début de l'après-midi et revient à son port d'attache à vingt-deux heures. A ne pas manquer, surtout les nuits de pleine lune. C'est le seul moyen, puisqu'il n'existe pas de routes longeant cette étonnante rivière, de la voir et au long du parcours d'admirer les impressionnantes beautés du Cap-Éternité et du Cap-Trinité.

La visite au Saguenay s'accompagne, par tradition, du tour du lac Saint-Jean. Presque rond, 40 km de diamètre, il est ceinturé par une route de 143 ml ou 230 km qui, au départ de Chicoutimi-Nord, passe assez loin de la rive. On ne la rejoint qu'à **Péribonka ;** là où l'écrivain Louis Hémon a passé quelques mois dans la famille d'un fermier et a écrit

La maison de l'auteur de Maria Chapdelaine à Péribonka

un roman qui a fait connaître une époque du Canada français : « Maria Chapdelaine ». On visite, près de Péribonka, un *petit musée,* formé de la ferme où il a vécu et d'autres bâtiments agricoles. Un montage audio-visuel rappelle son œuvre. Les meubles et objets anciens rassemblés reconstituent assez bien ce Québec d'autrefois qui, selon l'infortunée Maria, « ne devait jamais disparaître ». Péribonka est aussi le point de départ d'une *épreuve sportive internationale :* tous les ans au mois d'août, la traversée à la nage du lac, rendue pénible par les courants glacés qui le sillonnent.

Mistassini, un peu à l'écart, a reçu le titre de capitale du bleuet. C'est le nom donné à la myrtille nord-américaine. Au cours du mois d'août, ce fruit sauvage est mûr; une nombreuse main-d'œuvre va dans les landes où se trouvent les fruits violacés. Il en est recueilli environ 3 500 tonnes qui deviennent confitures ou garnitures de tartes. **Dolbeau** est exactement sur la même latitude que Paris. Aussi a-t-on installé là un astrolabe relié à la capitale française.

Cités vivantes et villages fantômes

De Saint-Félicien à Roberval : 14 ml (23 km).

Saint-Félicien est doté d'un *zoo,* qui serait bien semblable à tant d'autres s'il n'était complété par un immense domaine forestier clos, où vivent en liberté des animaux sauvages du pays. Traînées par un tracteur, des balladeuses grillagées traversent lentement en tous sens le parc naturel, permettant aux visiteurs de voir d'assez près et de photographier orignaux, cerfs de Virginie, caribous, ours et castors. Ainsi les animaux sont libres tandis que le public est en cage. Le jardin zoologique comprend aussi, sur la rivière qui le traverse, une passe migratoire des ouananiches qu'on peut voir en grand nombre à l'époque du frai.

La ouananiche est une autre spécialité de la région. Ses ancêtres, saumons, au moment où la mer primitive s'est retirée de la cuvette glaciaire pour faire place aux eaux douces, sont restés prisonniers des lacs. Ce poisson particulièrement combatif, à la chair savoureuse est très recherché par les chevaliers de la gaule.

Pointe-Bleue, sur les bords du lac, est une *réserve d'Indiens* surtout Abénaquis et Algonquins. Des « cabines » et camps de pêche sont loués en été aux vacanciers qui veulent vivre près des autochtones.

Un peu plus loin, la très élégante cité de **Roberval** est une base de départ classique pour les *expéditions de pêche et de chasse.* C'est aussi le point d'arrivée

Un village fantôme qui revit : Val-Jalbert

de la traversée à la nage du lac. Cet événement aquatique donne lieu à une semaine de réjouissances particulièrement bruyantes et bien arrosées. Par contraste, à 10 km de là, **Val-Jalbert** est un village-fantôme. On le trouve au fond d'une gorge, où jaillit presque verticalement une chute d'eau de 72 m de hauteur. Là, un homme entreprenant avait, en pleine nature, installé en 1901 une usine de pulpe à papier et fait construire deux rangées de hautes maisons de bois se faisant face dans l'axe de la chute; une église, un presbytère, une école, des magasins, un hôtel, un bureau de poste, une banque. Le tout pour ses employés et leur famille. Damase Jalbert avait donné son nom à l'ensemble. En 1909, son usine faisait faillite. D'autres tentèrent de remonter l'affaire de moins en moins rentable à cause de la concurrence des grandes entreprises papetières de la région. En 1927, le village dans la vallée perdue était déserté. Longtemps laissées à l'abandon ses maisons s'écroulaient doucement, envahies par la végétation. Le Ministère du tourisme qui s'est porté acquéreur du domaine a commencé à restaurer les demeures, tout en leur conservant leur aspect un peu vermoulu de bourg abandonné; l'hôtel recommence à recevoir des voyageurs et à servir des repas, le bureau de poste à vendre des timbres pour cartes postales, les demeures sont converties en musées, ateliers d'artistes, l'usine en centre culturel et artisanal. Déjà la vie reprend dans ce romantique vallon.

Le tour du lac Saint-Jean ramène, par **Kénogami-Jonquières,** à Chicoutimi-sur-Saguenay. On peut voir aussi une partie du fjord à **Bagotville**. L'aéroport de la ville sert d'escale aux avions d'Air-Canada et de Québécair qui desservent régulièrement la région et la relie à Québec, Montréal et les villes du Nouveau-Québec. A son port accostent des bâtiments qui viennent des mers lointaines. Tous les étés, des paquebots de croisière, surtout russes et polonais, viennent s'amarrer là. Ne quittez pas la région sans goûter ses spécialités : la soupe aux gourganes, la tourtière du lac Saint-Jean (pâté de plusieurs viandes aromatisées et cuites au four dans un poêlon) et bien sûr la tarte aux bleuets. Les gens du pays prononcent volontiers ce mot « beluet », mais n'apprécient guère les étrangers qui veulent imiter cette façon de parler. Pour le chemin du retour, vous avez le choix : deux routes suivent de loin la crête des falaises le long du Saguenay. L'une aboutit à Saint-Siméon et l'autre à Tadoussac.

Voici le Nord Moyen

Autre moyen de connaître le nord giboyeux : sur la route de Montréal à Québec, prenez à gauche à **Berthierville,** en laissant le fleuve derrière vous. Vous aboutissez à une série de plateaux ondulés que la nature a encore agrémentés de buttes inattendues ou de dépressions soudaines : les coulées, au fond desquelles vont, tout en méandres, les ruisseaux pour se jeter dans les vallées profondes. Plus on roule vers le nord, plus le relief s'accentue, plus les conifères sont nombreux au détriment des feuillus. Peu de villages le long de cette route, mais de nombreux lacs cernés de bois. Un nom pourtant à retenir, (à 58 km de Berthierville) le bourg de **Sainte-Émélie-de-l'Énergie,** vocable introuvable dans le calendrier officiel des élus, mais bien connu des pêcheurs de truites mouchetées.

A 100 km de Berthierville, voici **Saint-Michel-des-Saints,** le village au bout de la route qui bute sur la pointe du *lac Toro* et ne va pas plus loin. Il y a des milliers d'autres lacs plus au nord, on ne les atteint qu'en hydravion. De nombreuses *expéditions de pêche* et *de chasse* partent ainsi de Saint-Michel, accompagnées par un guide indien de la réserve Cri. On part aussi en canot sur la rivière Mattawin qui s'enfonce dans le *parc du Mont-Tremblant.* On est au cœur des Laurentides centrales.

Le grand terrain de jeu, d'été et d'hiver du Montréalais, ce sont *les Laurentides.* Il a plutôt l'habitude de les atteindre par l'autoroute qui monte jusqu'à **Sainte-Agathe-des-Monts** à 96 km de Montréal. **Saint-Jérôme** est la porte de ce domaine. La statue de l'ecclésiastique corpulent que l'on aperçoit devant la cathédrale est celle du curé Labelle. À la fin du siècle dernier, les conditions économiques sont particulièrement dures pour les Québécois qui doivent aller chercher du travail dans les usines nord-américaines. Pour arrêter cette saignée dans une jeune population, pour éviter aussi qu'elle perde sa langue et, au contact du monde ouvrier, sa foi dans l'idéal d'un Québec traditionnellement rural, le curé Labelle lance, aidé par les autorités, une grande campagne de colonisation intérieure. L'endroit choisi : ces plateaux rudes, disséqués par de nombreux cours d'eau aucunement navigables, creusés de lacs, au sol froid d'une médiocre fertilité. Finalement, « le roi du Nord » fonde vingt paroisses agricoles au milieu des forêts que seuls fréquentaient des bûcherons. Une ligne de chemin de fer relie Montréal à **Mont-Laurier.** On annonce la naissance d'une ère de prospérité pour cette région. Le brave abbé Labelle avait raison. Ce n'est pas pourtant l'agriculture qui a sauvé les Laurentides. C'est le tourisme, un demi-siècle après. Jusqu'en 1950, des familles y avaient là des « camps » — ainsi appelle-t-on, même quand ce sont de modernes villas, les maisons de plaisance dans les régions boisées. Les sportifs connaissaient les lacs à brochets, les ruisseaux à truites et les zones de chevreuils. Quelques rares skieurs montaient pour des fins de semaine de ski, par le petit train du Nord. Ils habitaient dans de rares et confortables auberges.

Les belles Laurentides

De Montréal : à Saint-Jérôme, 30 ml (48 km) ; à Sainte-Adèle, 48 ml (77 km) ; à Val-David, 55 ml (88 km) ; à Sainte-Agathe, 60 ml (96 km) ; à Mont-Laurier, 148 ml (238 km).

Les cultivateurs « des pays d'en haut » continuaient à faire produire leurs ingrates parcelles et, la moitié de l'année, travaillaient dans les coupes de bois. Aujourd'hui, tout est changé : 150 villages, entre Saint-Jérôme et Sainte-Agathe, de chaque côté de l'autoroute sont devenus autant de stations touristiques. En allant de l'une à l'autre, c'est une suite inninterrompue de chalets, d'hôtels, de motels, de restaurants, de terrains de camping, d'écoles d'équitation, de golfs, de granges transformées en magasins, dans un décor quasi-tyrolien. Des bourgs sont devenus de petites villes de détente, aux lotissements multiples, qui contournent les lacs, bordent les ruisseaux, se glissent dans les forêts. La faune locale a émigré. On ne pêche plus dans les lacs, on ne s'y baigne guère, mais les piscines privées sont nombreuses dans les jardins et chaque grand hôtel a la sienne, couverte et chauffée.

Après les grandes ruées d'été, les premières neiges annoncent les impétueux mouvements de foule de l'hiver. Le toit chargé de skis, les voitures mettent le cap sur le Nord, dès le vendredi soir, pour profiter des pentes enneigées à un peu plus d'une heure de Montréal. Dans l'ensemble, les remontées mécaniques sont nombreuses; en fin de semaine, il faut cependant attendre son tour, d'autant plus que les dénivellations sont relativement courtes. C'est aussi le terrain idéal pour le ski de promenade et la moto-neige sur les sentiers prévus pour ce sport. Voici quelques-unes de ces villégiatures :

Sainte-Adèle : théâtre d'été à Sun Valley, ateliers d'artisans, reconstitution d'un village rural vers 1900, celui de Séraphin, héros d'un roman popularisé par la radio et la télévision, « Les Belles Histoires des pays d'en haut », saga des paysans du Nord, écrite par l'écrivain régionaliste Claude-Henri Grignon.

Sainte-Agathe : véritable petite ville, créée en 1850 dans un site admirable. Une partie de ses remontées mécaniques fonctionne l'été. « Le Patriote », succur-

Dans le Nord du Québec, une rivière à truites

sale de la boîte à chansons de Montréal, présente là des spectacles très courus.

Val-David : également des ateliers d'artistes et « La Butte à Mathieu », célèbre café-chantant où viennent se produire les poètes-chanteurs du pays.

Saint-Faustin : station piscicole provinciale, pour ceux que passionne la vie des truites.

Mont-Tremblant : station de réputation internationale : en hiver, compétitions de ski. A l'automne, sur son circuit routier, des courses automobiles très courues.

Mont-Laurier : base de départ pour les excursions de pêche et de chasse.

Sur la bordure Est :

Sainte-Marguerite : au bord du grand lac Masson.

Rawdon : surtout fréquentée par des néo-Canadiens anglophones.

Saint-Donat : championne pour l'altitude, cette vivante station, entourée de sommets boisés, constitue une autre porte pour entrer dans le parc du Mont-Tremblant.

Sur la bordure Ouest :
Morin Heights, Saint-Adolphe d'Howard.

Plus haut vers le Nord

De Mont-Laurier à Val d'or, 175 ml (281 km).

Si vous avez, à partir de Mont-Laurier, la curiosité de continuer et de rouler sur 300 km dans la nature sauvage, vous traverserez le grand *parc de la Vérendrye* et vous aboutirez à **Val d'or.** On n'y voyait en 1911 que quelques demeures de rondins habitées par de joyeux prospecteurs. Ils venaient de découvrir

la première mine d'or de *l'Abitibi*. Val d'Or-Bourla-
maque compte aujourd'hui 18 000 hab. Aux mines
d'or se sont ajoutées celles de plomb, de cuivre
et de zinc. Vous pouvez visiter le hameau conservé
des pionniers et descendre dans la mine. Val-d'Or
possède aussi un aéroport civil, doublé d'un terrain
militaire pour avions supersoniques, la piste la
plus longue de tout le Canada. A Val-d'Or, vous
n'êtes cependant qu'à la porte de l'Abitibi; dans ce
sol très ancien les gisements miniers nombreux ont
donné naissance à autant de villes. Les efforts de
colonisation ont réussi à fixer quelques villages.
L'industrie du bois pour le sciage et le papier fait
vivre des agglomérations dispersées. Dans ces
vastes étendues, trouées de milliers de lacs, les
Indiens trappeurs continuent à pourchasser les
animaux à fourrure. Et, bien sûr, les Blancs qui ne
craignent pas les longues distances chassent et
pêchent.

Le pays des Outaouais

De Montréal : à Oka, 28 ml (45 km) ; à Montebello,
78 ml (125 km) ; à Masson, 113 ml (182 km) ; à Hull,
136 ml (219 km) ; à Pembrooke, 247 ml (397 km).

Les Indiens de la tribu Ouataouak installés, il y a
plusieurs siècles le long d'une rivière large et puissante ne pouvaient évidemment pas se douter que le
nom de leur tribu serait donné précisément à cette
voie d'eau et qu'il deviendrait même celui de la
capitale du pays sans bornes où ils vivaient.

Ainsi aujourd'hui, la *rivière* s'appelle *Outaouais* et en
la suivant de Montréal par une rive et par l'autre, on
arrive à la capitale du Canada : **Ottawa** (200 km).
Les gens pressés préfèrent l'autoroute de la Reine. Ils
se privent de la vue de tous les petits villages au bord
de l'eau. La rive gauche longe un élargissement de la
rivière, le *lac des Deux-Montagnes* et passe par **Oka**,
réserve d'Iroquois et *monastère cistercien;* les moines
cultivateurs y ont créé un fromage local très apprécié,
fabriqué aujourd'hui de façon industrielle. A **Montebello** se trouve l'ancien et magnifique *manoir,* construit sur un domaine qui appartenait à l'homme
politique Louis-Joseph Papineau. La solennelle
demeure, ses dépendances, son immense parc ont
été longtemps un club privé pour personnages très
riches. C'est maintenant un hôtel de luxe, curieuse-
ment construit de granite et de pin, très confortable-
ment meublé; sa gastronomie n'est pas ce qu'elle
devrait être. A **Masson** s'ouvre, vers le Nord, la
vallée de la *rivière du Lièvre,* bien connue des fervents du canot. La route qui la longe sur 200 km
rejoint **Mont-Laurier**, atteint **Sainte-Anne-du-
Lac,** autre point de départ vers les territoires de

pêche et de chasse du Moyen Nord. A **Pointe-Gatineau,** une autre route permet de remonter aussi sur près de 200 km la *rivière Gatineau,* bordée par un parc et de nombreuses villégiatures. A **Hull,** commence, en face, la province d'Ontario avec la ville d'Ottawa. Posé au plus haut de la rive, le Parlement fédéral et son beffroi fait masse au-dessus de l'horizon. Hull, à ne pas manquer, ville industrielle, abrite de nombreux fonctionnaires fédéraux, qui travaillent là dans des annexes des ministères ou organismes fédéraux. Certains autres qui travaillent en territoire ontarien choisissent de vivre dans la cité frontière et traversent tous les jours le pont pour se rendre au bureau.

A voir à Hull : les *chutes de la rivière Rideau* et au début de juillet la *fête des Rafstmen.* Elle rappelle l'époque où les trains de bois descendaient le courant jusqu'au port de Montréal. L'Ontario n'est guère réputé pour sa gastronomie. Des restrictions, héritées du puritanisme, ne facilitent pas non plus la consommation des vins et spiritueux. Ainsi Hull est-elle devenue, à deux pas de la capitale, une zone gastronomique appréciée autant de l'homme politique, de l'ambassadeur, du Québécois exilé que du touriste (entre autre bons restaurants : *Mme Burger* et la *Ferme Columbia*). Après Hull, la route continue le long de l'Outaouais jusqu'à l'*Ile-aux-Allumettes* a 310 km de Carillon, y franchit la rivière et entre dans l'Ontario à **Pembrooke.**

De Montréal à Ottawa par la rive sud, on passe par **Vaudreuil** (à 20 km) où se trouve une *église ancienne* et un intéressant *Musée historique.* Sur cette berge, l'Ontario commence à l'extrémité du village de **Pointe-Fortune,** où le barrage de Carillon barre l'Outaouais. Un bac traverse la rivière à l'endroit où le héros de l'histoire du Québec, Dollard des Ormeaux et ses compagnons ont, dit-on, trouvé la mort en défendant un fortin attaqué par « les sauvages ». Une statue et un musée rappellent cet épisode.

Le Sud-Ouest du Québec

De Montréal : à Sainte-Catherine, 18 ml (29 km) ; à Hemmingford, 88 ml (141 km).

L'autre extrémité du Québec, vers l'Ouest, c'est **Dundee** (à 65 km de Montréal) face à Fort-Covington, dans l'Etat de New-York. On s'y rend en traversant la *réserve des bandes iroquoises de Caughnawaga.*

On traverse, à **Sainte-Catherine,** la Voie maritime du Saint-Laurent. Il est bon de s'arrêter pour voir la manœuvre des écluses au passage des transatlantiques. Pour les amateurs de chemin de fer, il y a, à **Saint-Constant,** un *musée ferroviaire* ouvert seulement à la belle saison. On peut y voir 35 locomotives canadiennes, des wagons anciens, de vieux tramways, la reconstitution d'une gare rurale des belles années et dans un bâtiment, des objets et documents rappelant les temps révolus de la locomotion à vapeur. Certains de ces véhicules roulent sur un mini-réseau. **Salaberry-de-Valleyfield,** construite sur une île, est célèbre pour ses régates.

Dans la même région, à **Hemmingford,** un peu au sud-est, près de la frontière des États-Unis est ouvert, de mai à octobre, le *parc Safari africain* que l'on parcourt dans sa voiture particulière ou en autobus. Cet établissement permet d'affirmer que l'on a vu en liberté au Canada des tigres, lions, éléphants, girafes, rhinocéros, singes et autres mammifères peu communs au nord du 45e parallèle.

Iles dans le grand vent

Si vous recherchez un Québec insolite, prenez l'avion jusqu'aux *îles de la Madeleine,* à la sortie du golfe Saint-Laurent, c'est la seule partie de la Province qui, échappant aux froids millénaires, n'a pas été recouverte d'une calotte de glace haute de milliers de mètres et sculptée profondément par son mouvement. Le relief des îles est fait de formes rondes et douces seulement travaillées par des alternances de gel et de dégel et le grand vent de l'Atlantique. Sur une ossature de basalte, le paysage terrestre est fait de masses de grès qui redeviennent lentement sable. Il élève sans cesse autour des îles des cordons de dunes qui les relient presques toutes.

Des douze îles, sept sont habitées, principalement par des descendants d'Acadiens. Les Madelinots vivent principalement de la pêche au homard, coquille Saint-Jacques, morue et au printemps de la chasse aux phoques. Ils ont un accent bien à eux, très chantant; leur langage est orné de termes nautiques de la Vieille France. Affables, accueillants, ils aiment bien recevoir des visiteurs et leur font fête. L'été, on se baigne sur les longues et désertes plages de sable. On observe les oiseaux, on va en mer avec les pêcheurs, on visite les fumoirs de harengs. On vit la vie tranquille des îles, où chacun est cousin, se reçoit et aime jaser. On trouve dans les îles, onze petits hôtels et quatre terrains de camping.

A la mauvaise saison, on reste chez soi. La neige tombe en abondance, mais les rafales l'emportent au fur et à mesure. On attend le printemps tardif sur ces basses terres de Hurlevent.

On peut aussi se rendre aux îles par bateau. Notamment au départ du port de **Souris** (Ile du Prince-Édouard). Le navire prend à son bord les automobiles. En été, mieux vaut retenir son passage longtemps à l'avance.

Le Texas du Québec

Le long de la frontière de l'Ontario, l'*Abitibi* et son jumeau géographique, le *Témiscamingue*, deux régions synonymes de grands espaces vierges. De la ville d'**Amos,** chef-lieu de l'Abitibi, une bonne route mène encore plus loin vers le nord à travers les forêts d'épinettes noires, de plus en plus rares et chétives. Bientôt, le sol n'est plus fait que de mousses à caribous, de rochers violets, de sables stériles. On atteint **Matagami** et la rive de la *Baie James,* au sud de la baie d'Hudson. On est exactement à 1 415 km de Montréal par la route. Ici ne fait que commencer le vaste domaine de la Baie James; solitudes et richesses, image d'un nouveau Texas québécois.

Jour et nuit, on y remodèle la nature, on y détourne de puissants cours d'eau qui coulent dans trois bassins hydrographiques très nouvellement cartographiés. « Le projet du siècle » qui se réalise ainsi ne se limite pas à la production de kW/h. Les deux entreprises d'Etat chargées de l'exploitation hydro-électrique de cette région ne se préoccupent pas seulement des 70 milliards de kW/h qu'elle apportera dans 10 ans. Elles s'intéressent aussi au développement minier. Et au tourisme.

Les nouveaux plans d'eau en création, les rivières aménagées, les routes qui, sur des milliers de kilomètres, vont parcourir ce territoire, formeront dans la zone sub-arctique, un passionnant domaine touristique, à une heure de jet de Montréal.

Mais ce n'est pas encore le vrai Nord. On ne l'atteint que par l'avion qui vous dépose à **Fort-Chimo,** dans la vaste échancrure de la *Baie d'Ungava.*

Les voyageurs qui se risquent aux abords du 60° parallèle, sont des fonctionnaires des deux gouvernements, des missionnaires, des trappeurs professionnels, des prospecteurs, des chasseurs, des pêcheurs.

Peu de touristes visitent les stations nordiques sauf ceux qui veulent photographier des bœufs musqués, des esquimaux sculpteurs, ceux qui veulent voir chasser le phoque ou pêcher l'omble de l'Arctique.

L'été, sont organisés des vols spéciaux pour assister au spectacle du soleil de minuit.

Du Québec vers l'Amérique

Le Québec est un bon tremplin à partir duquel on peut faire des sauts vers l'Est ou l'Ouest du Canada, vers les États-Unis et autres pays de la zone Nord américaine ainsi que le Mexique.

Les moyens de transport

A travers le Canada

Pour traverser le Canada, rien de plus facile : l'**avion**. Les deux compagnies nationales *Air-Canada* et les lignes aériennes du *Canadien Pacifique* offrent, quotidiennement, des liaisons aériennes rapides et relativement bon marché entre toutes les grandes villes du pays, complétées par les réseaux régionaux des compagnies indépendantes.

Visiter tout le Canada en **voiture** demande du temps. La *route transcanadienne* qui, d'une côte à l'autre, passe par les capitales provinciales et les grandes villes, représente un ruban de près de 5 000 km. On peut, pour les grandes distances, utiliser la formule *rail-route,* qui vous transporte, ainsi que votre voiture, lors des longs trajets nocturnes.

Les gens plus pressés prennent le **train**, solution justifiable pour la traversée du pays par l'une ou l'autre des compagnies ferroviaires ; le *C.N.* ou le *C.P.* Les voyageurs choisissent entre la formule « coach » (wagons dont les sièges ont des fauteuils à dossier inclinable) ou les compartiments à couchettes. Ils ont tous accès aux voitures-restaurants et au salon-bar coiffé par un dôme vitré. Exemple de trajet par le train « Supercontinental » du C.N. : départ le dimanche soir de Montréal à 21 h 25. Lundi dans la journée et une partie de la nuit suivante, on traverse le Nord de l'Ontario pour arriver mardi midi à Winnipeg et mardi soir à Saskatoon. Mercredi matin, le train s'arrête en gare d'Edmonton et repart vers Jasper, l'atteint au début de l'après-midi, puis continue vers Kamloops où l'on passe le même soir pour entrer en gare de Vancouver le jeudi matin. Coût du billet en période d'été (tarif 1975) près de $ 100. Suppléments : pour voiture à fauteuils type avion : $ 12. Couchette supérieure $ 18, inférieure : $ 56. Chambrette individuelle : $ 78. Chambre standard : (deux personnes) $ 168. Mini-chambre à coucher : (2 personnes) $ 156.

A travers l'Amérique

Le touriste qui veut voir aussi les États-Unis choisira sans doute les chemins qui mènent à New York, Chicago, le cap Jersey, à Washington, en Floride ou en Californie. Il faut se souvenir aussi que le Mexique n'est pas si loin et qu'une visite aux Antilles peut compléter un voyage en Amérique du Nord.

A travers l'Amérique pour les trajets moyens du touriste sans voiture ou qui ne veut pas en louer une, les gros autocars rapides sont ce qu'il y a de mieux. On peut acheter en Europe un « passe » qui permet de longs voyages en autocars. La *compagnie Greyhound* propose, de Montréal pour New York, onze départs d'autocars par jour avec deux services « extra » : Celui qui part à 9 h arrive dans la métropole américaine à 16 h 30 et celui qui part à 23 h y arrive le lendemain matin à 6 h 30. Prix du trajet : 50 dollars, repas compris servi à bord. Ceux qui préfèrent prendre le train pour New York n'ont pas le choix : départ à 18 h 20; arrivée à Pennsylvania Station à 6 h 35 sur une ligne sinueuse et cahotante. Sur le réseau ferroviaire des États-Unis un *« Usarail-pass »* que l'on ne peut acheter qu'en dehors du continent nord-américain permet, au coût de $ 150, de voyager sur presque toutes les lignes pendant 14 jours, pour $ 200 pendant trois semaines et pour $ 250 pendant un mois (un aller et retour normal d'un côté à l'autre coûte $ 304 en train et $ 364 en avion).

De Montréal, tous les jours de nombreux départs d'avions directs pour New York, Chicago, Washington, Boston, Pittsburgh, San Francisco, Miami et autres grandes villes, permettent d'atteindre très vite toutes les villes importantes des U.S.A. Montréal dessert aussi sans escale le Mexique et les principales îles des Antilles, dont la Martinique et la Guadeloupe.

Visiter le Canada

Vers l'est, le touriste a le choix entre les quatre Provinces dites maritimes.

Le Nouveau-Brunswick : c'est, après le Québec, la province qui compte le plus de Canadiens francophones. Sa capitale est **Frédéricton**, mais sa ville la plus importante est **Saint-Jean**, un des grands ports de la côte canadienne. Terres agricoles où pousse bien la pomme de terre. Forêts nombreuses et pêcheries. Son homard est célèbre. Le plus gros pêché dans ses eaux pesait 19 kg et mesurait près d'un mètre. Ces énormes crustacés se font rares, mais les pêcheurs font tous les étés d'amples moissons de homards moyens. *La baie de Fundy* a la particularité d'être l'endroit du monde où les marées ont la plus grande amplitude; le flux formant un puissant mascaret envahit brusquement le golfe. A Saint-Jean, il remonte la *rivière Petitcodiac* dont le courant change ainsi de sens deux fois par 24 heures, spectacles fort goûtés par les touristes.

La Nouvelle-Écosse : l'ancienne Acadie, où se trouvaient les premiers postes français en Amérique du Nord, a pour capitale **Halifax**, dominée par sa citadelle; c'est aussi son grand port. On extrait dans la province la houille grasse; on cultive dans ses vallées des fruits, dont la pomme. A visiter particulièrement ses plages, ses ports de pêche, ses parcs naturels, ses nombreux musées et particulièrement, l'*île de Cap Breton*, qui, en fait, est maintenant reliée au continent par une chaussée. On y a reconstruit complètement et meublé la *forteresse de Louisbourg*, bâtie par les Français et rasée par les Anglais au XVIIIe s. La visite s'effectue sous la conduite de guides portant les costumes de la France coloniale de Louis XIV. Les jours de fête, les Néo-Scotiens d'origine écossaise portent volontiers le kilt.

L'Ile du Prince-Édouard : la plus petite et la moins peuplée des provinces canadiennes. C'est un véritable jardin potager, 80 % de son sol est voué à la petite agriculture. On y élève aussi des renards et des visons; on pêche l'huître et le homard sur ses côtes. Les plages sont fort belles et jouissent d'une douceur marine qui permet de s'y baigner longuement en été.

Terre-Neuve : une grande île rocheuse, assez austère. Son centre montagneux est peu habité. Ses étés sont frais et humides; le reste de l'année, brouillards, neiges et vents ne favorisent guère l'agriculture et le tourisme balnéaire. Terre-Neuve possède heureusement des richesses minérales, principalement du minerai de fer. L'industrie principale demeure la pêche sur les hauts fonds les plus poissonneux du monde; la morue y pullule ainsi que le maquereau, le hareng et, sur les côtes, le phoque. L'île, en devenant canadienne en 1949, s'est fait attribuer une partie du Labrador québécois doté d'un riche potentiel minier et hydro-électrique. **Saint-Jean** ou Saint-John's, sa capitale est un port important. C'est aussi la ville située le plus à l'Est du Canada, à 5 000 km de Nantes et sur le même parallèle.

Saint-Pierre et Miquelon : c'est un peu au Sud de Terre-Neuve, un petit morceau de la France sur un caillou, tout ce qui lui reste de son empire nord-américain. 5 000 Français vivent sur ce minuscule archipel, commerçants, pêcheurs et fonctionnaires. On atteint le port de **Saint-Pierre** par avion, ou par bateau au départ de Sydney (Nouvelle-Écosse) ou également par voie de mer du port terreneuvien de Fortune. Le climat des îles est humide et brumeux. On y respire surtout un petit air provincial très français, à quoi s'ajoute le pittoresque apporté par les équipages des grands chalutiers de toute l'Europe qui viennent s'y ravitailler.

Du côté de l'ouest, on trouve vite **l'Ontario** : il commence après la ville de Hull, par la capitale de tout le Canada, **Ottawa,** ville neuve dessinée par des urbanistes, qui regorge de parcs et d'immeubles administratifs. Le plus pittoresque est le *Parlement* qu'on visite, ainsi que sa tour qui abrite un célèbre carillon. En été, les touristes ne manquent pas la relève de la garde en grand apparat, avec fanfare, sur les pelouses de « la Colline parlementaire ». Au printemps, on va voir les millions de tulipes; les premiers oignons ont été offerts en reconnaissance par les Pays-Bas. A ne pas manquer : les musées d'État dont la *Galerie Nationale de peinture et sculpture*.

Sur les bords du Saint-Laurent on a créé, près de Cornwall, *Upper Canada Village*. Ses maisons proviennent en partie des sites submergés par la construction de la Voie maritime. Elles constituent, au milieu d'un parc, un ensemble destiné à évoquer, avec des personnages en costume d'époque, la vie des pionniers d'autrefois, là où 800 soldats loyalistes et britanniques ont défait en 1813, une armée de plusieurs milliers d'Américains. Ce rappel n'empêche pas les touristes des États-Unis de venir nombreux visiter les lieux. Au centre d'une contrée très riche et fort industrialisée, **Toronto,** la capitale de la Province, rivale traditionnelle, de Montréal, s'étale superbement sur les rives d'un des grands lacs. La vie culturelle est très active à Toronto, musique, théâtre, ballets, expositions d'art. La ville possède depuis peu un nouvel édifice : une tour monolithique en béton haute de 536 m qui porte près de son sommet un restaurant tournant.

L'Ontario offre également aux touristes le *festival de Stratford*, où, évidemment Shakespeare est honoré tous les ans et surtout les *chutes du Niagara* qu'il partage avec les États-Unis.

Le Manitoba : on entre ici dans La Prairie qui s'étend sur 2 000 km. Partout, la terre noire et grasse favorise la poussée du blé et d'un fourrage succulent dont se nourrissent bovins et chevaux. A cause du climat continental, la saison agricole est très courte. Au long de l'interminable hiver, les terres dorment sous la neige et sont très humides au printemps. Les cultivateurs, dotés d'immenses machines, n'ont qu'un mois pour labourer et trois pour récolter. Souvent l'été amène de dures périodes de sécheresse ou des invasions de sauterelles. Au nord de cette gigantesque terre agricole, les trois provinces centrales exploitent, dans la zone du bouclier précambrien, des richesses naturelles : minéraux, pétrole, sable bitumineux et forêts de résineux. **Winnipeg** est la capitale et la ville principale du *Manitoba*. Ses industries découlent de son agriculture : produits alimentaires à base de céréales, conserveries de viande. Sur l'autre rive de la *Rivière Rouge,* **Saint-Boniface**, fief francophone. Il rappelle les excursions et fondations de Pierre Gauthier de la Vérendrye et le souvenir de Louis Riel, métis de langue française, jugé et pendu en 1885 par le pouvoir anglo-saxon pour s'être opposé, lors de la construction de la ligne ferroviaire, à la main-mise de spéculateurs sur les territoires qui appartenaient à sa collectivité.

La Saskatchewan : encore plus opulente que sa voisine orientale. Dans sa partie Nord, on trouve des gisements qui recèlent 40 % de la richesse canadienne en uranium. Sa capitale est **Regina**. Saskatchewan, vous l'auriez deviné, est un mot indien ; il veut dire : « là, où les eaux grondent de colère ». C'est le nom d'un puissant cours d'eau qui coule dans le nord de cet immense territoire peuplé seulement d'un million d'habitants.

L'Alberta : grand fournisseur de pétrole et de gaz naturel ; cette partie Ouest de la Prairie vit aussi de blé. Là où elle se vallonne, aux approches des Montagnes Rocheuses, la Prairie devient très herbeuse et favorable aux grands troupeaux de bêtes à cornes surveillés par des cavaliers. Certains abandonnent ce métier de gardiens de vaches pour adopter le titre plus prestigieux de « cow-boy » professionnel. On les retrouve dans les rodéo et particulièrement au *Stampede de Calgary,* concours annuel d'adresse qui, tous les ans en juillet, rassemble les meilleurs cavaliers du continent. C'est un spectacle à voir, complété par celui d'une ville de négociants de blé et de bétail qui se déchaînent pendant une semaine au son de la musique western. La semaine suivante, **Edmonton,** capitale située au Nord de la province, reconstitue le « bon temps de la ruée vers l'Or ». Au cours des « *Klondyke Days* », une grande frairie anime les habitants, vêtus comme autrefois. Sur les versants des Rocheuses, se trouvent les stations touristiques d'altitude : **Banff, Jasper,** le **Lac Louise**. A partir de novembre, on s'y rend pour le ski alpin, dans des paysages éblouissants de beauté. L'été, on y fait de belles excursions.

La Colombie-Britannique (certains préfèrent dire Colombie canadienne) commence à la ligne de crête des montagnes qui la séparent du reste du Canada. Des fleuves mugissants qui dévallent dans les gorges s'étalent ensuite dans des vallées fertiles, adoucies par l'Océan qu'un courant venu du grand Sud réchauffe ainsi que des vents tièdes venant de l'Ouest. Ils créent, dans la zone côtière centrale, un Canada toujours vert et fleuri, doucement arrosé de pluies. De **Vancouver** en allant vers l'est, on quitte les rosées hivernales pour se trouver très vite sur les pentes de ski de la montagne. Là, se trouvent aussi les installations hydro-électriques qui alimentent de nombreuses industries, dont celle du contre-plaqué, tiré des forêts de pins Douglas, hauts parfois de 80 mètres. Vancouver a un quartier chinois important : on y trouve d'excellents restaurants. Grand port du Pacifique, ce n'est pas la capitale de la province. On la trouve, au large, dans une grande île, c'est **Victoria,** tranquille cité très britannique qui sommeille au milieu de ses jardins fleuris. Vancouver, c'est le point de départ pour Hawaï et le Japon. C'est de là aussi que partent des paquebots d'excursion à destination de l'Alaska.

Le territoire nordique du **Yukon** n'a pas de port sur la mer; l'autre partie du Canada qui le borde, les immenses territoires du Nord-Ouest vont jusqu'à l'Atlantique Nord, face au Groënland et jusqu'à la zone polaire. L'agglomération la plus nordique, base d'observation qui s'appelle **Alert,** se trouve à 800 km du pôle géographique. L'endroit, en dépit de sa situation exceptionnelle, n'est guère touristique.

Index

Index

Index

Imprimé en France par Offset-Aubin, 86 Poitiers
Dépôt légal n° 6289— 2ᵉ trimestre 1976
Collection 12 — Éditions 01
I.S.B.N. 2.01.002.803.